U0132350

JPC

盧瑋鑾文編年選輯

浴火鳳凰

一九九八——二〇一九

盧瑋鑾 著
許迪鏘 編

目錄

一九九八

❖

一九九九

說劫求福

六畜，人皆可食。我吃雞，也不曾作「君子遠庖廚」的想法。但今回卻有「孽」的罪疚感。

眼看雞屍如山，半死的雞在黑塑膠袋中掙扎抖動，這場劫，真是人間之孽。平日人吃雞劏雞，是順序運作，雞瘟也是自然之災，可是，這一次是極粗暴、不假思索的人為處理手法。我忽然覺得：這是劫是孽之外，還隱含著天道示警的徵兆。

現試抄錄古書幾段如下：

雞為積陽，南方之象。（《春秋》）

巽為雞（《易》）：巽於方位表東南）

工商執雞（《周官》）：取其守時而動）

田饒謂魯哀公曰：君不見夫雞乎，首戴冠者文也，足搏距者武也，敵在前敢鬥者勇也，得食相告者仁也，守夜不失時者信也，雞有此五德。（《韓詩外傳》）

細味上開文字，再想幾天之內，殺雞過百萬隻，未免心寒。地處東南，以工商為務的香港，殺去盈百萬的德禽，是不是可解作：工商不守時而動，社群失去五德？也許有人認為禽流感一旦傳播，危險更大，危及人類生命，二者擇其一，權衡之下，只好以雞為犧牲了。無奈只有慨嘆：天地不仁，以萬物為芻狗。

災劫已成定局，善後工作未知展開多少。順溝渠而下流的雞血，流到何處？堆填區的雞屍是否穩埋不露？腐朽後細菌會變種變型重出為害否？餓狗拉去吃剩的殘肉會不會散落民居角落？從事殺雞的人員心理有無變異？……災還未及身的人，有沒有考慮？

人無遠慮，急功近利，在深信業障之餘，也該反省察己，以求多福。

話雖老套，但我仍以此為念。新年開筆，說劫為求後福，願香港人遠離魔伴，速得圓滿。

——刊一九九八年一月十二日《星島日報》副刊「七好文集」專欄。

❖ **證**

一九九七年本港首次發現禽流感可感染人類，亦是全球首次同類個案。爆出疫情之初，時任衞生署長陳馮富珍為安撫市民，在鏡頭前豪言自己日日食雞，試圖淡化疫情，但此話一出即令人嘩然，更令她得到「雞珍」的稱號。事實上，這場世紀大瘟疫，造成高死亡率，導致港人要同走地活雞「脱離關係」。該場疫情共有十八人感染H5N1，其中六人死亡。政府首次決定大規模銷毀家禽，數目達一百三十萬隻活雞。那時候，漁護署人員，全身保護裝備，走進雞場，注入二氧化碳把活雞焗死。

——香港01記者〈活雞何價　防禽流年花千萬　賠償金累計二億〉，見二〇一六年六月十一日香港01網：https://www.hk01.com/社會新聞/25327

往事

一九九八年

翻閱一九三〇年舊報，在排得密麻麻的發黃紙面上，忽然，真是忽然，因為我搜尋的目標不該在那版面上，發現盧冠雄三個字。

遠在我還沒有來這個世界前，那三個字印在報紙上。他在幹甚麼呢？

「孔聖會誕紀念會勸捐伸謝名冊」，全是負責拿捐冊去募捐和捐款人的名字。裡面載刊著盧家父子兩代的名字：盧頌舉、盧冠芹、盧冠豪、盧羨卿，還有我父親盧冠雄。

他拿到的捐冊是第九十七號，看來，他並不太熱心勸捐，冊裡只得兩個人，每人捐了五塊錢——三十年代初，五塊錢也不算個小數目，只是兩個捐款者，比起別人捐冊，果然是少了點。看著父親的捐冊，不禁笑了，那就是父親的個性。

一九三〇年深秋的日子，不知誰把孔聖紀念的募捐冊交給他——奇怪，從不曉得他與孔聖會有過關係，也沒聽過他提及社會公益——他對我只講過吃喝玩樂：一本正經對著十二歲的孩子講石塘咀飲花酒、講各家各店的好吃東西、講火燒前的馬棚熱鬧，下班在家就拿著玩具鐵關刀教我打北派……他永遠遊戲人間的個性，誰叫他去負責勸捐？可以想像，他懶懶閒拿著捐冊，等到交卷期限將屆，就找兩個熟人，掏腰包支持。五塊錢，在那時代，連著名的六國飯店客房也不過六塊錢一天房租的日子，他一定要找兩個朋友，又肯輕易拿得五塊錢的，然後不勸不求就要人家捐錢，他便交差了。

名單裡的盧羨卿，是盧家那一輩唯一的女兒，是我的姑姐，獨身，梳個像今天最流行的男孩子髮型——當時叫 Single 裝，跟父親最要好，常來我家。她也捐了五塊錢。

在寂靜的閱讀者中，忽然記起往事，竟把我的工作速度減慢了。

——刊一九九八年一月十六日《星島日報》副刊「七好文集」專欄。

❖ **證**

❖ 一九三〇年十月二十一日《工商日報》頁十一「社團消息」〈本港孔聖會〉內文報道：「香港孔聖會、每屆孔子誕日、必舉行熱烈之慶祝、然尤以今年為盛、假座太平戲院為恭祝地點、計是日到會者、有華民政務司活雅倫、華人代表羅旭龢博士、港紳鄧肇堅、何世耀、孔聖會長李亦梅、盧頌舉……」

❖ 一九三〇年十一月十五日《工商日報》頁七〈孔聖會誕紀念會勸捐值理募得捐款在十元及五元以上者彙錄伸謝〉具列名單：「……香港油蔴地小輪公司捐銀十元……鄧肇堅捐十元……」

孔聖會誕紀念會勸捐值理募得捐款在十元及五元以上者彙錄伸謝（第三次）

六十號捐冊（馮竣生君經手）鉅昌號捐銀五元 公安榮捐銀五元 日月公司銀五元 石華堂捐五元 高拔洋行十元 六十五號捐冊（鄧幼庭君經手）福安榮捐五元 成安號捐五元 一百二十四號捐冊（陳煥彤君經手）千祥號捐五元 陳煥彤捐五元 十一號捐冊（譚榮光君經手）譚榮光捐五元 七十四號捐冊（陳樹階君經手）陳樹階捐五元 七十二號捐冊（鄧象賢君經手）鄧象賢捐十元 鄧國有捐十元 七十八號捐冊（陳梅森君經手）梁國英藥局捐十元 九十六號捐冊（蘇英才君經手）蘇英才捐銀五元 二百二十五號捐冊（蘇耆園君經手）資興昌捐銀五元 公安棧捐五元 財源號五元 昌隆號捐五元 三十二號捐冊（劉叔莊君經手）劉叔莊捐銀五元 四百三十九捐冊（順泰行經手）順泰行捐銀五元 百零四號捐冊（鄧應嵩君經手）鄧應嵩捐銀十元 廣海記捐銀十元 百九十六號捐冊（楊百堅君經手）吳銘三捐銀五元 十六號捐冊（鄧月波君經手）永安保險公司捐銀五元 聯泰燕梳公司捐銀五元 香港保險公司捐銀五元 日隆燕梳局捐銀五元 恒利公司捐銀五元 胡瓞田君捐銀五元 永順公司五元 廣福公司捐銀五元 宏記辦館捐銀五元 廣昌[illegible]

二百零九號（張國榮君經手）楊俊達捐五元 七十一號（李維湛君經手）李陳氏捐五元 二百零八號（鄧肇堅君經手）鄧肇堅捐十元 八十二號（陳翼雲君經手）東華醫院五元 仁壽號捐五元 公壽號捐五元 大章號捐五元 勝記棧捐五元 福壽號捐五元 宏壽號捐

赤鬍子精神

杜杜說起三船敏郎來，自然也提起黑澤明，惹起我一連串回憶。

我不會忘記他們二人合作的《赤鬍子》，對我的教育工作態度有多大影響。這套電影拍成於一九六五年，大概到六六、六七年以後，才在香港放映，那正是我投身教育工作的始點。當時的學生當然沒有現在的那麼複雜、那麼多問題，但一代有一代的困難，對初入行的年輕教師來說，總會面對一些難以應付的問題學生。愈是熱誠，就愈容易遭意想不到的冷水潑得身心俱冷，滿以為自己付出足分，到頭來學生卻全不接納，甚至曲解好意，這樣情況遭到無數次，就難免洩氣。我就是在這種情況下，洩了氣。

剛入行就洩氣，這危機令我很恐懼，後頭的日子正長，除非我改行，或像一些看化了的同行，成了老油條度日，否則，我必須自救。教育學院課程沒有教我怎樣應付這種心理危機，那時候還年輕的我真是求救無門。自問又真的熱愛教學，給少數甩開餵藥的手的學生弄得我放棄，未免心有不甘，怎樣辦？這幾乎是我天天撫心自問的問題。

就在這時候，黑澤明導演、三船敏郎演的《赤鬍子》在香港上映，其中一個情節給了我極大啓示，有如救生圈，借了力，我總算「得救」，到今天，在教學途上，每遇甩開我的手的人，我總會想起電影裡三船敏郎扮演的「先生」。靠一套電影來作救生圈，看來有點幼稚可笑，但對我來說，這是事實。這電影重映的機會不多，於是，我買了一套錄影帶放在家裡，作為心理療劑。

《赤鬍子》裡，三船敏郎飾演的醫生，是個沒有笑容、兇得像個汪洋大盜的老師——既是醫生，又是醫學教師，他收了許多徒弟，邊行醫邊授徒。有一天，他從妓院裡救出了一個病重的雛妓，命令年輕醫學生負責看顧餵藥。年輕醫生滿懷愛心不眠不休地照顧著小女孩，可是對人類失去信心的孩子，每一次都帶著仇視痛恨的目光，用力把送藥的手甩開，打翻了盛藥的調羹，無數次的惡意拒絕，令年輕醫生傷心頹喪，老師在旁看得清楚，一言不發接過了調羹，蹲下來，帶著微笑面對小女孩，這是他的學生和觀眾第一次看見他的笑容——一個汪洋大盜的臉上，有如春陽和煦的笑容，太矛盾了，很容易給人奸的印象，但三船敏郎演技在這刻發揮得十分出色，觀眾完全忘記他先前的黑口黑面、兇神惡煞的樣子。可是，女孩子並沒有領情，一次又一次用力推開老醫生的手，老醫生側著頭，笑容更和煦，一再送上藥匙，惶恐的孩子臉上仇恨顏色逐漸褪去，也側著頭看著老醫生，再試探性的推開調羹。今回用的力不那麼大，老醫生再送上藥的時候，終於她張開了口，吃了醫她身體疾病的第一口藥，同時也接納了治她心靈創傷的首服靈方。

那麼詳細敘述了上述片段，只因每一次想起連串鏡頭，小女孩推開藥匙的抗拒力度，和老醫生再送上一口藥的決心和艱難，那種感覺，三十年來，仍然沒有退減。赤鬚子精神，就是指這組鏡頭。

——分上、下兩篇刊一九九八年三月三十一及四月一日《星島日報》副刊「七好文集」專欄。

讀冼玉清

《純文學》復刊第二期上，有一篇很具歷史價值，很動人的人物傳記：〈一個女子與一個時代〉。作者是寫《陳寅恪的最後二十年》的陸鍵東，傳主是與香港文學文化關係密切的廣東女學者冼玉清。

對於冼玉清，我知道的只是她的學術成就，她承繼樸學傳統，在考據分析、史料蒐集方面，十分沉實，功力深厚，是女界少見。她在聖士提反女校讀書之前，已深受教育家陳子褒的影響，在她紀念恩師的一篇文章，〈改良教育前驅者——陳子褒先生〉中，她說：「先生教人要旨，一曰不倚賴政府，二曰不靠商業，三曰提倡忍耐，四曰提倡女權，五曰提倡以善勝惡。」突顯了陳老師主體精神。讀了陸鍵東的文章，才更深體會師恩之厚，和學生如何一生實踐老師之教。由於陸鍵東文中引用了冼氏的《自傳》未刊稿，就讓我對這位女學者的一生行事知得更多，例如她為了不負陳子褒「終身執一業不變節，可為後進楷模」的期許，「立意救中國，也立意委身教育。……想全心全意做人民的好教師，難免失良母賢妻之職；想做賢妻良母，就不免失人民教師之職，二者不可兼。所以十六七歲我就決意獨身不嫁。」五十八歲之齡再到北京，「本來想去看看新建設，豈知參觀北京圖書館後，看見它的好書，就日日去抄。早去暮歸，連飯也在館員處食。想入京一個月，竟然為看書而住到兩個多月，館主任說甚麼僻書都讓我看光了。」進入文化寶庫，樂而忘返之情，躍於紙上。

冼玉清對學術的堅持和成就，我們在她的文集中，可以看到。她積數十年功力，寫成的文章算多，且篇篇都見如何利用史料得出新見，她的光華文采，不外露卻深為識者稱許。她的詩，我讀得不多，只知道並無閨秀氣，卻帶傷感悲涼。

今回在這傳中，更清楚了她一生為人態度，可以說果是陳子褒的心法嫡傳。

陸鍵東引用了中山大學所藏歷史文獻檔案，記錄了冼氏在一九五二年九月對自己思想所作檢討，足見她的價值取向。她在政治高壓下，如此說：「我嚮往賢人君子的人格，我講舊道德、舊禮教、舊文學。講話常引經據典，強調每國都有其民族特點、文化背景與歷史遺傳，如毀棄自己的文化，其禍害不啻於亡國。……我最同情自古忠心耿耿，而遭讒受屈之人，於是我專找這些人的材料而為其表白。」

她也一如歷來愛國懷憂的知識分子，坦然說出下列的話：「言論自由，處士橫議，是舊名士的習慣。我覺得說說怪話，發發牢騷，寫寫歪詩，事實有之，反黨則絕無此心。一生讀線裝書的人，是安分守常，不會造反的，希望黨相信他們多一點。」

歷史告訴我們，「守舊」的知識分子並不得到黨的相信，冼玉清的生活也不好過。一九六四年她返港探親治病，居留了十個月，廣州風傳她已逃港不歸。可是她並非如人所想，她在香港立下遺囑，變賣全部資產，全捐給廣東省的醫院，然後返回廣州。一九六五年十月病逝。

一代學人，幸免於文革之辱，算是有福。

——分上、下兩篇刊一九九八年七月十七及十八日《星島日報》副刊「七好文集」專欄。

證

❖ 一九六五年十月二十一日《大公報》頁四：〈冼玉清家奠明舉行　生前友好致送輓幛可逕交中總八樓〉，內文報道：「中國人民政治協商會議廣東省委員會常務委員、廣東省文史研究館副館長、廣東省文物管理委員會委員、廣州市文物管理委員會委員冼玉清，因患肺栓塞於本月二日病逝廣州，享年七十二歲。冼玉清家人現定於明（廿二）日（星期五）上午十時至下午一時在干諾道中中華總商會九樓禮堂舉行家奠。冼玉清為南海西樵人，生長於澳門，年十三，受業於名儒陳子褒門下。稍長，讀書於廣州嶺南大學。一九二五年學校聘為嶺大附屬中學專任教員。一九二七年升為大學國文系講師，旋進教授，博物館長等職，為女子教授古典文學之始。之後，聲名洋溢南中，著述凡四十餘種，一生以文化事業及作育人才為己任，被譽為「女中君子是真儒。」」

冼玉清家奠明舉行

生前友好致送輓幛可逕交中總八樓

冼玉清教授遺像

❖ 一九六五年十月二十三日《大公報》頁四：〈悼念冼玉清教授　冼府昨日家奠　親友百餘人前往祭奠〉

美麗的書

香港歷史，暫時還不是史家執筆寫就的——殖民地政府本就想隱埋一切香港身世。可是，每一個香港人都可以從自身開始，敘述零篇碎段，書寫成許多香港歷史段落。一九九七年前後，香港人忽然很「急」，歷史翻過一大頁，史家要寫史了。我們怎樣對待從來未寫入史種種切切？許多人回讀了自己生命的來路——《晚晚六點半》就是其中一行步履痕跡。

筲箕灣嘉諾撒夜校！一個滿載青春記憶的名字——對我來說如是，對書裡一群朋友也如是。

作為她的創校校長，我還沒有等她成長，就撒開手了，一直不知道她在許多更熱心細意的人培育下走過艱難但日趨成熟歲月。

讀著這書，我們可以看到二十多年前的香港人生活，不過二十多年而已，香港就是如此走過來的。工廠女工、木屋區、徙置區、失學、貧窮……對現在的許多香港年輕人來說，那些掙扎求生的描述，可能如粵語長片的情節，只能引起他們哄然大笑，因為距離現狀太遠了，他們會覺得不可相信。但請相信，她們這筆歷史，沒有虛構，是有血汗，有淚水的真實存在。

我已是上一輩的人了，慣了說「教訓」——教訓，對我們向前走是很重要的，所以。我還是不怕人說我老土，我要說：「這本書教訓我們，今天的幸福要珍惜，明天如遇上不幸，必須奮鬥求生路。」

香港有美麗的一面，因為有美麗的人，這是一本美麗的書。

一九九八年九月二日

——《晚晚六點半——七十年代上夜校的女工》代序，香港：進一步多媒體有限公司，一九九八年，作者署名小思。

一九九八年

敵人何在

江水滔滔！

寫下這四個字，我的感情、思維都沒辦法組織起來。視覺接收的影像，與這淡淡的四個文字，距離得太遠了。

大禹的父親鯀，當年治水不力，給舜殺於羽山。禹子承父責，為司空，三過其門而不入，終能平洪水，分九州。治水，遂成中國歷代治國重點。站在都江堰前，儘管在科技發達的二十世紀，我們仍不得不訝於李冰的智慧。可是，當電視熒屏上景象一再出現時：洪峰如狼似虎，自上游撲向下游，沿江軍民以血肉之軀，抵抗洪流，肩負各種可以扔入水中的東西去阻擋阻不住的狂流。一個個年輕身體，靠勾連著的雙臂，築起長堤，生死牌——（快到公元二千年了，古代的忠心「遊戲」竟然還有人玩）「人在堤在」，這誓言，天能鑑否？抗不了洪就是狗熊，誰許下的毒咒？

抗日的八年，呼號「一寸山河一寸血」，如今是一寸河堤一寸血淚，敵人何在？

每逢災禍，我們就會感到中國軍民的可愛與可敬，年老的看透世情，連怨言也不大會說。年輕的人民解放軍，拚命與無火無炮的敵人對抗。敵人何在？

不要全硬算在甚麼厄爾尼諾頭上去。長期的水土流失，不問情由的亂砍樹木，偷工減料的不牢固堤壩，孰令致此？

幾十年前中國人抗洪，幾十年後中國人抗洪，要抗到何年何日？我們必須知道敵人何在！

自南至北，長江黑龍江……滔滔江水，何時平伏？該問天還是問人？

——刊一九九八年九月三日《星島日報》副刊「七好文集」專欄。

❖ **證**

一九九八年是繼一九五四年以來的又一次全流域性大洪水，長江中下游幹流沙市至螺山、武穴至九江共計三百五十九公里的河段水位超過了歷史最高水位。鄱陽湖水系五河、洞庭湖水系四水發生大洪水後，長江上中游幹支流又相繼發生了較大洪水，長江上游接連出現八次洪峰。長江洪水泛濫是長江流域森林亂砍濫伐造成的水土流失，中下游圍湖造田、亂佔河道帶來的直接後果。

——見百度百科〈一九九八特大洪水〉條 https://baike.baidu.com/item/1998 特大洪水

定遠號的舵

真的沒有想過一篇二十七年前寫的文章，會獲得一份珍貴的回響。

最近收到遠在加拿大阿伯達大學圖書館工作的左永業先生一封信和一篇刊在《日本研究》的文章，使我十分感動，因為裡面充滿了中國人對國史的關注。

那是關於清朝北洋海軍旗艦定遠號船舵的故事。

一九七一年夏天，我匆匆經過日本長崎，回港後寫了〈長崎今日又下雨〉，提及甲午戰爭中給日本擊沉的定遠號船舵，被當成餐桌架放在一個外國人的客廳裡。這一文章引起了左先生注意，想去追查詳細歷史底蘊。但正如他說：「時隔廿餘載，世事滄桑，不知今天這定遠圓桌還在否？」研究者畢竟有尋根究柢的精神，他直接寫信向葛洛佛（Glover，那座房子的主人）住宅管理當局查詢，果然得到回音。原來當年我遊覽的地方，有個中譯叫哥拉巴公園，園長告訴左先生，那桌子已不再公開展覽，但如他有興趣，可以給他看看。於是左先生就千里迢迢，展開長崎之旅。

日本人也真夠認真，園長小柳伸一郎接待了他，讓他親睹現已不再公開展出的舵盤，並得日本圖書中心出版部及日本近代史研究會負責人提供了定遠號戰傷前後所拍攝照片。這些資料令左先生再深究下去。為甚麼我國北洋艦隊旗艦的船舵，會落在一個居住日本的外國人手中？

當定遠號被擊中後，原來不是即時沉沒，日本軍曾登上該艦，還拍下了殘骸照片，相信那舵盤就在那時落入日人手中，作為戰利品。北洋艦隊灰飛煙滅，卻餘下了木製船舵，淪落在敵國人手裡，後來又輾轉變成人家客廳中的餐桌。事隔百多年，還有多少中國人記得它？想來不禁令人神傷。

根據左先生的研究，這個定遠號的舵，見證了日本軍人與外國商人結交的關係。

首先說葛洛佛的身世：原籍蘇格蘭的葛洛佛，於一八五九年由上海到長崎去經商，一直在日本生活了五十二年，與明治時代日本政府決策層結下不解之緣。日本現代海軍創建初期的艦隻，有三艘是經葛氏購置的，都在葛氏家鄉建造。甲午戰爭時，身為日本聯合艦隊司令的伊東祐亨對葛氏十分重視。一八六七年三菱會社創辦人岩崎彌太郎也認識了葛氏，後來更聘他為三菱顧問，日後日本郵船會社的龐大勢力也源於此。由此種種關係，正如左先生所言：「司令伊東中將以定遠舵盤作為戰利品貽贈三菱顧問葛洛佛，自然合乎邏輯。」

由於左先生能細看不再公開展出的舵盤，他可以清楚見到「舵心外緣，刻有曾任海軍大臣、首相、內大臣的齋藤實於一九三四年的題字，詞曰：鵬程萬里由之安，昭和甲戌秋，題長崎市倉場氏所有故清國軍艦定遠號舵機。」倉場氏就是葛洛佛的日本姓氏。

當年我去旅遊的地方，相傳為蝴蝶夫人故居的，其實就是葛氏住宅，「落成於一八六三年，是日本現存最早的西洋木構建築。一九五七年由三菱會社贈與長崎市政府，連同其附近一帶地區，闢作哥拉巴公園。」

讀了左永業先生的〈甲午旗艦定遠號圖說〉，清楚知道了這一段舵的故事，也補足了我當年匆匆一瞥的記錄疏漏。前後二十多年，才完全了解我國一艘為國捐軀的旗艦的舵的「歸宿」，忽然想到，他日我國興建甲午海戰紀念館，此舵能否回歸國土？應是有心人深以為念的。

——分上、下兩篇刊一九九八年十月六及七日《星島日報》副刊「七好文集」專欄。

❖ 證 長崎「蝴蝶夫人故居」（一九八二年許迪鏘攝）。

十年暗換

◇協辦第三屆香港文學節「香港文學散步．田野考察」活動

原來，已經十年了。

十年世事紛紛擾擾，香港人各自為自己、為世態奔波。誰家庭苑，花開花落，也只有自家人真心關注。

有人落落寡歡，活在一個雖生猶死的世界。有人隱姓埋名，異鄉飄泊。有人爭名逐利，力爭上游。有人改弦易轍，只求生計無憂。也有人無知無覺，且過日辰。十年原是一瞬，歷史家還來不及寫入史冊，人事已多被遺忘。

當然，也有人毋忘某些人與事，正趁十載時機，從頭組合記憶，掀引出種種紀念。血有血的書寫，淚有淚的書寫。同一件事、同一個人，不同角度取景，便生出許多面貌。到頭來，英雄狗熊，浪漫悲情，原差一線。真相令人失望，虛構令人神往，敘述者多少想像、多少實證，都由看官自我解讀。

人與事，推遠了，也許更客觀地清晰，也許因遠觀而朦朧。在多事多變之際，到了不

惑之年，仍多疑惑。及至耳順，耳聞多逆而不順，忽然，驚惶失措，不知人間何世。

悄悄沉思苦憶，一切戲夢人生，已過十年。繁華喧鬧，台上燈光燦爛，也算十年。看官，他日你買票入場，或者擎燭高歌，都看作「隊隊行雲散」好了。

近日重翻宋詞，非為閑愁，只因眼前光景，實在無端令人勞累，不如十年一覺，躲入詞心。

信手抄一闋《望海潮》以代茶香：

「梅英疏淡，冰澌溶洩，東風暗換年華，金谷俊遊，銅駝巷陌，新晴細履平沙，長記誤隨車，正絮翻蝶舞，芳思交加，柳下桃蹊，亂分春色到人家。　西園夜飲鳴笳，有華燈礙月，飛蓋妨花，蘭苑未空，行人漸老，重來事事堪嗟，煙暝酒旗斜，但倚樓極目，時見棲鴉，無奈歸心，暗隨流水到天涯。」

——刊一九九九年二月十二日《星島日報》副刊「七好文集」專欄。

敬悼舒巷城先生

你，美麗的蝴蝶
為甚麼離家獨自飛行
離開那草木茂盛的山谷？
我怕你的彩衣尚未褪色時
便憔悴地在市街裡飄落
回去吧，這兒不是你歇息的地方
不要把商店　銀行　電油亭……
錯認作　青松　百合　紫丁香……

〈街上的蝴蝶〉

重讀舒巷城先生的《都市詩鈔》，作為向一位純粹的香港詩人的致敬和悼念。

舒巷城先生，當然也是一位香港小說家，許多人提起他，必然提到《鯉魚門的霧》、《太陽下山了》等小說，但我更愛讀他的詩。

他是個錯誤地生在這繁囂而造作的都市裡的詩人，對於繁囂和造作，他卻常以一種獨特的態度來對待。

他帶著溫厚的心思、柔和的目光，遊走在一個並不可愛，但他卻不離不棄的都市。筆下滿寫了只有都市才有的污穢與悲情，請勿誤會，寫實主義不一定要揭露甚麼社會黑暗面，控訴甚麼罪惡壓迫。寫實中，充滿了他豐盈的關注與諒解的無奈——這種感情和態度，是十分香港的。「香港的」這個詞雖然有點彆扭，也不是我故意避用「本土性」，而是那種感情和感覺，真的只有土生土長的香港人才會具備。同是寫藏污納穢的後街，採景相同，他寫的《妓院街》、《灣仔之西》，與袁水拍的《後街》，在感情就有極大差異了。

他筆下的香港，沒有美化，也沒有醜化，是一個實實在在的香港。他誠心描繪著香港的某些階層的實況，如果真的有點批判意味，那恐怕也不過是源於他的關注。

多少年來，他沉默地生活在這都市裡，也許像他寫的思古先生一般，「生錯了年代」，但他已經盡心記錄了香港的都市滄桑。舒巷城先生是一位純粹的香港詩人。

——刊一九九九年四月三十日《星島日報》副刊「七好文集」專欄。

證

❖ 舒巷城（一九二一—一九九九）是香港著名的鄉土作家。他在本港出生、成長，小時住在西灣河一帶，因家裡開小店鋪，經常接觸到社會低下層的人物，對他們的生活有深刻的認識，豐富了他的寫作題材。戰時他流亡國內，跑遍大江南北，見識不少。戰後，舒巷城回到本港生活，正式展開了他漫長的寫作生涯。他是位詩人，也是個小說作家，一生寫了十多部作品，最膾炙人口的，是長篇《太陽下山了》和短篇〈鯉魚門之霧〉。

——許定銘〈舒巷城的《山上山下》〉，見香港文化資料庫：https://hongkongcultures.blogspot.com/2014/10/blog-post_19.html

用語心理

到過德國好幾次，但都匆匆留一兩天，又是隨團行走，沒有單獨接觸民間。除了旅遊必到景點，算到此一遊外，其實甚麼也沒看過。今回總算多留了幾天，也有機會在街上閒逛，才對這個國家稍有一點點感覺。

早已知道英美人叫德國人做「方頭」，日耳曼民族的一絲不苟也是聞於世的，他們對自己的語言文化極尊重——許多國家對自己的文化都十分尊重，只是態度與程度不同而已，日本人又崇洋又尊重自己文化，他們以「好客」姿態令外人認識及愛上日本，德國人卻不。硬繃繃，你來了就該認識我們！不懂德文，你活該。

一大隊人在法蘭克福，去坐電車上街。先去總站向電車司機問路，他正悠閒在車上看報紙。有人用英文問他，只見他愛理不理，用手指指一個方向，其實也證明他聽懂英文。我們仍不大明白，再問，他就不再理會了。——在日本，日本人通常會盡力了解你所問，並努力為你指引，或再為你去問別的路人。終於阿慧用德語再問一次，他卻立即放下報紙，走下車來，細心指路。也許這只是個少數例子，不能作準，我卻留下深刻的印象。

尊重自己的語言文字，儘管有人認為德國人或法國人的做法未免過了頭，可是，對自己國族文化的尊重，首先在於對自己國家語言文字的重視。小時候，讀法國作家都德寫的《最後一課》，描述了國家被入侵的人民，受壓制不許再用本國語言，師生在上最後一課時的悲慟，還是小學生的我們，也受到感染。正因這個印象太深刻，看到香港某些人——學生和家長，因自己或子女所讀學校不被認許為英文學校時的悲憤與徬徨，我無法不承認，港英政府多年的統治策略的成功。

強勢的外國文字要學一點，作為應用工具，是有幫助的，但重要的是用時心理和態度。這是整個民族的尊嚴所繫，也是教育的重點之一。

——刊一九九九年九月四日《星島日報》副刊「七好文集」專欄。

❖ 證

一九九九年一項調查顯示，接近一半的中文中學學生被訪者認為自己是次一等的學生，而這些學校被訪的老師和校長有一半有相同看法。當時報章刊登的一些議論發人深省：「熒光幕上，幾個中學生淚眼盈眶，認為所讀學校不被列為英語學校是一種恥辱……校長和老師也滿臉不悅，認為教署評核失實。……看見校長和學生為了不能用英語上課而咬牙切齒、痛哭流涕，心中真是感慨不已。」（陳中禧，教協轉載《星島日報》，一九九八）

——張勵妍〈「母語教學」問題淺析〉，香港中文大學學位教師教育文憑課程論文，二〇〇一年，見「華語橋」網：http://www.huayuqiao.org/articles/zhangliyan/zly03.htm

記趙清閣

趙清閣女士去世了，上月的二十七號或二十八號——連正確離世的時間，在上海華東醫院陪伴的小保母都說不清楚。

有多少人會知道中國有過一位著名女作家、編劇家：趙清閣？

三、四十年代，她主編過《婦女文化》月刊、《彈花》文藝月刊，寫過小說《早》、《華北的秋》、《落葉》、《月上柳梢》。她與上海電影界關係也十分密切，劇本有《此恨綿綿》、《冷月詩魂》、《賈寶玉與林黛玉》、《蝶戀花》、《向陽花開》、《粉墨青春》、《女兒春》……抄下一段資料，只想介紹這位對許多人來說的「陌生者」。

文革過後不久，我在上海拜訪了施蟄存、趙清閣兩位前輩。風暴剛過，人們仍面有惶恐之色，惴惴不敢多言。施蟄存先生還執意要請我去吃一頓午飯——那個時候，百廢待興，靠老情面，才可以在國營名店梅龍鎮找個座位。當年的梅龍鎮老店，絕不是今天所見的富貴相。店內黑沉沉，一股飯菜油漬味，衝著人。侍應同志愛理不理，趙施兩老，必敬必恭，看得我心有不忍。坐下來，叫了菜，兩老話才多起來。趙清閣忽然問我，你知道這個地方嗎？我當然不知道。二十年前，港滬如斯隔絕，何況那時候文化資料缺乏，我也只從舊存書刊中，讀過作品才認識他們。說起梅龍鎮，趙女士清寒的臉上驟綻光采，原來這家店是舊日上海文化界、電影界常聚會歡宴之地。她一一指點談著，在黑沉中，我們彷彿回到當日的亮麗。

過去五十年，不少文化人在政治大潮中隱沒無聞，他們沉默地活著。他們沒有忘記過往的工作，但很不幸，時代忘記了他們。多少年來，不懂也不願尋門路、不求請托的老作家，就連活著也成問題。例如趙清閣、陳敬容兩位，年老孤苦無依，令人悲愴。

到今天，她們已一一離世，文學史家會給她們留多少筆墨，已經不再重要了。

——刊一九九九年十二月十四日《星島日報》副刊「七好文集」專欄。

參

❖ 文革以後，我第一位認識的女作家就是她。……她清朗眼神、輕盈談吐，與當時許多人還未敢暢言的態度，很不一樣。

——小思〈詩魂冷月〉，見二〇〇六年六月八日《明報》副刊「一瞥心思」專欄。

證

❖ 一九九九年十一月二十七日清晨五時許，我在細雨中趕到上海華東醫院，在細雨中，伴送趙清閣阿姨從病房進到陰森冰冷的太平間——她人生最後的這段路。……以中國新文學而言，二十世紀三十年代開始文學創作的趙清閣阿姨，應該算做是第二代女作家。趙清閣阿姨開始文學工作的時間很早，不到二十歲，她已經在家鄉河南省的省級報紙上正式發表作品。二十來歲，就在上海擔任了中國第一家婦女出版社《女子書店》的總編輯，同時主編《婦女文化》月刊。直到一九九九年去世，趙清閣阿姨始終沒有放下過筆，……在大陸，長壽作家有，但在這麼漫長的世紀歲月中，真正沒有停筆、始終堅持以寫作為基本工作的作家卻不多，少之又少。

——洪鈴〈梧桐細雨清風去——懷念女作家趙清閣・上〉，見二〇〇九年十月《香港文學》298期。（按：洪鈴為劇作家洪深的女兒，洪深與趙清閣是「忘年之交」。）

二〇〇〇 ❖ 二〇〇九

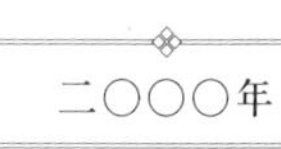

Good Grief

六十年代初，陸離在《中國學生周報》轉載《花生漫畫》，是香港中文報刊介紹花生家族的第一人。到一九九九年底，跨千禧，一月三日，在《星島日報．星辰》中撰《花生漫畫》，正於舒爾茲封筆之日，可視為第一代花生迷對花生家族的有緣有分，有始有終。

當年香港沒幾家英文書店會入《花生漫畫》，我們除了在一家最大的買到外，還得到美國訂購。六十年代美國日本開始把漫畫人物商品化，製成手帕、筆筒、筆袋、杯子、信封信紙、小紙本、各種賀卡……令花生迷如癡如醉。香港專門，也算唯一的專賣店福友行，賺了我們不少錢。七十年代，陸離和我的藏品，都曾上過電視。

八十年代，花生家族中最出鋒頭的竟是小狗史諾比，商人大力推銷下，變成偶像，九九年麥當勞的換購狂潮，把商品化推到極點。細想在排隊人龍中，有多少人通讀《花生漫畫》？深知花生的無奈、面對失敗的人生觀者，又有多少人？不禁啞然失笑。查理布朗注定一生失敗，特別敗於自己養的狗，也真體現了人生的無奈。

當花生商品多得流於濫，香港小孩青年紛紛買來裝飾，而不去細讀原書時，我也意興頹然，把所有藏品轉送給陸離了。如今只剩下在辦公室書桌上，由艷紅褪色至微黃的花生族筆筒，和家裡日用的茶杯，尚殘餘著第一代花生迷的身份印記。

跨過千禧，舒爾茲停止了花生家族的生命，我以文字轉敘四幅漫畫以送行。第一幅：史諾比坐在一棵大樹下，抬頭上望。第二幅：一片葉子自樹上落下。第三幅：葉子快落到地面。第四幅：史諾比低頭看著跌在地上的葉子。Good Grief。

——刊二〇〇〇年一月三日《星島日報》副刊「七好文集」專欄，是作者在這專欄寫的最後一篇。

參

❖ 同是古稀的中大校友，一位是把《花生漫畫》引入香港的《中國學生周報》晚期主編，一位是為香港文學勞心勞力的著名作家，兩位老人家說起花生主角之一的 Linus 後期被史諾比搶去艷光，會各執一邊電話筒暗自抽泣，相信世上也只有陸離與小思會表現出這種對《花生》的關愛。

「你問我《花生漫畫》向我們宣揚了甚麼『花生精神』？沒有，喜歡就是喜歡，不能言喻。」樣子有八成似花生另一主角 Marcie 的陸離劈頭說，小思以老師口吻補充：「最初是陸離建立了花生的平台，慢慢彼此有了共同話題，又覺得花生得意之外有哲學性。漫畫不只是漫畫咁簡單，它必須啟發人，我們不只要得意，得意後是甚麼？更需要深沉的思考空間，通過佢諗自己啲嘢，而唔係公仔一個這種閱讀方向。」

——鄭天儀〈我們都是花生友……〉，見二〇一四年七月二十七日《蘋果日報》副刊「果籽」。網上讀取：https://hk.lifestyle.appledaily.com/lifestyle/special/daily/article/20140727/18811904

證

❖ 一九九九年十一月，「花生之父」舒爾茨先生證實患上結腸癌，被迫宣布於二〇〇〇年初封筆，專心治病。最後一篇《花生漫畫》則於二〇〇〇年一月四日在報章上刊登。而發行《花生漫畫》的書商於二月十三日在每周日出版一次的書刊中，刊載最後一次《花生漫畫》。

——見：http://tonykyk.tripod.com/snoopy.html

話說灣仔

二〇〇〇年

我搬離灣仔二十多年，可是，她仍令我牽腸掛肚，說起來話就多了。

「七千美國水兵湧港」！灣仔，這個瀰漫著蠱惑、肉慾聯想的名字，又湧現在七千個兵哥心頭了。而我只能說，這就是命——灣仔的命中注定，帶了桃花邪運。也許，那是一筆孽債，延綿一個世紀。

那是十九世紀中葉，站在船街朝北街頭，就會面對維多利亞港的海傍。叫船街，就因為可以看見船。回過頭向南山邊望，洪聖廟裡，漁民上岸供奉的香火鼎盛。應該還有一座大王廟，如果不是，怎會有大王東街大王西街？靠近海，來自四海的浪蕩兒，就會上岸腳踏實地，除了酬神感恩的心靈慰藉之外，還得證明肉體的果然存在。船街、石水渠街一帶，女人幹著最古老的行業，跟西環石塘咀的阿姑不一樣，她們享不了十二少的揮金與情義，貧窮的一宵交易，只有骯髒，沒有記憶。

船街在海傍的光景，我沒趕上，以上一切，都單憑文獻紀錄，再添想像得來，卻足夠證實，灣仔的孽債由來已久。

我出生於灣仔，從懂事開始，看見的海傍，就在告士打道。填海改變了灣仔的地貌，但命，卻沒多大改變。

父親愛到海傍散步，晚飯後，穿上布鞋，「去海皮啦」，父女二人便下樓去閒逛一回。自軒尼詩道轉出柯布連道或菲林明道，總得經過洛克道、謝斐道兩個街口，那一帶都是寧靜民居。到了海傍，店鋪沒開幾家，灣仔差館重門莊重，右邊幾戶是小型貨棧，沒人氣。父親會拐向左邊，路過金城戲院、六國飯店。這樣走，必然經盧押道或分域街走回軒尼詩道。這樣走，經過的謝斐道和洛克道，氣氛就很不一樣。舞廳、酒吧、賣些不明所以東西的小店，輝煌不輝煌的開著，紋身店在二樓，溪錢張張自樓上飄下，老女人蹲在坑渠邊燒金銀衣紙，紙灰飛舞如幽魂。幾個年輕妖冶女子站在店前或者梯口，自顧自地談笑。這時候，父親臉上總會泛起奇異的笑容，而我，早就懂得緊緊握住父親的手，快走幾步，把他拉離色慾視野。四十年代末，我只是個小學一二年級學生，很乖很純，但父親從不忌諱甚麼，在逛街時告訴我許多故事，包括塘西風月和灣仔花事——花事，是男人想出來，做壞事做得心安理得的雅詞，我怎也不能接受。父親還描敘過三年零八個月日佔時代，在洛克道慰安所裡，香港女人的悲慘遭遇。為甚麼慰安所又要設在灣仔呢？父親說九龍也有。為甚麼香港區要設在灣仔呢？大概因為靠近「鐸也」，那個海軍基地吧。父親最怕我刨根究柢，他必須找個令我信服的答案。

五十年代，國際風雲正緊，香港在遠東地位不尋常，說是水深港闊，各種船艦補給服務周全，英美艦隊到來，原因大方正常。但還有眾不周知的其他原因，美國艦隻來得最多。穿雪白夏服或海軍藍冬服的兵哥，在分域碼頭上岸，就像蝗禍蜂陣，穿插灣仔街頭。他們買醉，醉得昏昏然，他們尋歡，歡得七顛八倒。都該多得那個塑造蘇絲黃的 **Richard Mason** 唔少，再加上電影裡關南施的外國人心目中的「中國女人」相，兵哥攬住個中國女人，就以為自己是威廉荷頓，還一生情債。

蝦球在這一帶繞了十幾轉，然後走出告士打道邊，六姑一手拉住他，教他一句灣仔通行英語，央他幫幫忙，叫他到海邊跟那個半醉的水兵說：「標蒂夫格爾，溫那，端蒂法夫打拉，奧茄？」

我們沒有 **Richard Mason**，卻有黃谷柳。他在《蝦球傳》裡，把灣仔春園街、修頓球場、告士打道一圈風月地細加描繪了。你試猜猜六姑教蝦球的那幾句灣仔通行英語是甚麼意思？真可惜黃谷柳不用廣東話記音，寫下來只是洋涇濱，失去本地風味。

五六十年代住在灣仔的良家婦女，確實無奈也無辜，半醉或大醉兵哥，情急性急，不知就裡，不懂門路，往往在路上亂顛狂闖，有時候更會到良家來拍門吵鬧，嚇得女人小孩東躲西避。受過驚恐，到今天，我對水兵仍存反感。奇怪的是記憶中，只有穿雪白夏服還有黑亮皮靴的水兵，卻不記起海軍藍。

不必考究從甚麼年代開始，不再看見穿軍服的兵哥在路上走。灣仔又從海奪地，地圖上多添港灣道、會議道、博覽道。政府大樓、各種商廈、酒店、會議展覽中心，都建起來了。政治行政商務進駐灣仔，反過來可以這樣說，中環的行政商務地位給灣仔搶去，有點不服氣，建在灣仔的「中環廣場」命名，很有些醋味的象徵意義。金紫荊、回歸碑，都安放在灣仔海傍，移交大典在那兒舉行，升旗禮在那兒舉行，我還有甚麼不放心的？灣仔要脫胎換骨了。

七千沒穿軍服的美國水兵上岸，報上照片，都見他們在灣仔作樂狂歡的樣子。今回，等待著他們的還多了菲籍女人。黃昏時分，灣仔的某些層樓上，還有溪錢飄飛嗎？

在智慧型高科技設計的大廈外，在電腦控制玻璃幕牆閃燈的光華背後，灣仔竟然仍沒法擺脫命中之孽，**Vice Returns to Wan Chai!** 一九七七年有人在西報上慨嘆，今日，我也許是過慮了。但誰叫我生於灣仔？

再加一筆：我沒忘記解開謎語，那幾句灣仔通行英語是：漂亮女子，一晚二十五元，OK？

想深入了解灣仔身世，請讀施其樂著，宋鴻耀譯的《歷史的覺醒——香港社會史論》中的《灣仔：尋求認同》。

——刊二〇〇〇年三月號《明報月刊》總 411 期，作者署名小思。

二〇〇〇年

圍巾

那年，十二月，香港天氣已經冷了。看照片中三個人穿的衣服就知道。站在中間的我穿得特別臃腫，因為怕冷。圍巾是新加上去了，唐君毅老師說京都冬季地寒，師母買了一條金褐色純毛圍巾送給我。

一九七二年，幾經辛苦才辦好去日本遊學的入境手續，還是唐老師寫信幫的忙。老師認為我該在中學教學崗位上停一停，讀點書，回眸反省，我就決定去京都了。從沒有離家經驗，有點慌張。啟程前，到九龍塘翠華園去拜別老師。老師說你來我家吃頓飯吧。飯後師母就拿出圍巾來，並為我圍上。也沒想過，唐老師說要到樓下園子裡拍一張照，——我從沒膽量提出跟老師合照，那天真有些手足無措。

且看我雙手垂直，笑容靦腆，就可推想我有多緊張。

照片是師母寄到京都給我的。收到的那一天，京都剛下大雪。我還沒來得及買帽子，上學時，用圍巾把頭圍密，只露出眼睛來。鼻子噴出的暖氣，困在圍巾裡，暖和得很。

這條圍巾，伴著我度過京都的嚴寒。回港後，我一直捨不得用，用盒子藏起來。

——刊二〇〇〇年五月《文學世紀》第二期，作者署名小思。

參

❖ 戴起圍巾跟老師、師母合照。見《文學世紀》小思文附。

二〇〇〇年

童夢一場

我有一個童年的夢，很奢華、古老的夢。這夢牽連著一個古老的名字：通濟隆——這名字只在中國上一代航運界流行，但它的英文名字，在許多愛到外國旅行的人心中，倒曾是響噹噹的。那就是 Thomas Cook。

今年夏天，報上竟看到它的小廣告：外蒙古首都直航首訪。我毫不考慮，立刻報名參加了。

此去，不是為了目的地吸引，一切為了主辦者的名字，為了圓一個童年的夢。

故事必須從頭說起。

四五十年代，中環海旁，現在文華酒店所在地，是一座幾層高的西式大廈。大廈外懸掛了四個有一層樓那麼高的英文字：COOK，父親告訴我那是一家英國航運公司的名字，很早就在中國辦運輸旅遊業務，乘飛機、坐大洋船去環遊世界，就得「幫襯」它。環遊世界？活在貧窮社會的孩子，不懂得，回家問母親。媽媽說那是到很遠很遠地方去玩，那家洋公司收費昂貴，奢華得很。只因說起環遊世界，父親不知打哪兒找到一些世界名勝明信片回來給我看，從此，到很遠地方去玩，就得「幫襯」Thomas Cook，成了一個夢想。

漸漸社會富裕了，旅遊已成普遍消費行為。我每年總會到外地旅遊一兩趟，卻從沒有動心要參加 Thomas Cook 辦的旅行團。有些朋友到英國去，才在當地入團，回來說團友都是外國人，像聯合國，同枱吃飯，交流不易，很不自然。這正是我那麼多年來不敢嘗試的原因。

直到一則外蒙古首訪小廣告出現，中文廣告，說得一清二楚，「通濟隆旅行社……帶你去參觀。」我哪有放過之理？隔了五十多年未圓童夢，儘管遲了些，但仍來得及，報了名交了費，就興奮等待啟程。

朋友知道我要去外蒙古，都很擔心。那是與香港相當隔離的陌生國家，開發情況、文化風俗、人文地理，我一無所知。想找本外蒙史或社會研究資料冊也不容易。學生從網上下載的材料，提供的都是個別旅人經驗，作不了準，例如說住宿旅舍，沒有喚起床服務，但他仍能依時醒來，只因有馬敲窗。（其實這個記述，十分有趣浪漫，也是難得經驗。）不過，我並沒後悔，因為我目標不在外蒙古，而是通濟隆。我還安慰朋友，辦給外國人參加的旅行團，大概不敢馬虎取巧，何況歷史悠久，招牌要緊，應該信得過。

佩起簡單設計、毫不花巧的團章：紅底反白字 Thomas Cook，我感到圓夢的真實。八天旅程過去了，心情真是一言難盡。

烏蘭巴托去過了，蒙古包住過了，外蒙古之行，可算增廣見識。可是，「參加通濟隆去旅行」的夢，一個童年夢，卻逐天逐天給撕碎了。

不曉得是老字號老化衰退，還是在香港的分店所托非人，又也許是我盼望過久——盼了五十多年，太理想化，結果給那些「通濟隆辦團」方式、帶隊人的不負責任、破車在長途中超時七八個鐘頭的顛簸，叫我明白：夢，就讓它是夢好了。也許，夢碎的不只我一人，在一個午餐會中（那頓午餐，吃於下午四點多鐘），一位外國團友，站到台上說，他信得過的是通濟隆，所以參加了，但失望了。

圓了未圓？童夢一場。

——刊二〇〇〇年十月號《明報月刊》總第 418 期，作者署名小思。

證

❖ Thomas Cook 是世界上第一家旅行社，已一百七十多年歷史。一八七二年，創辦人 Thomas Cook 籌組一次長達二百二十二天的九人環球旅行，但在這次旅行中，中國給他留下的印象有點糟糕。直到二十世紀初，Thomas Cook 過世後，他一手創辦的旅行社才開到了中國。一九〇六年底，Thomas Cook 旅行社在香港設立分支機構，為來往遠東和歐洲的商旅人士提供出行服務。之後，Thomas Cook（舊稱「通濟隆」）先後在上海、北京設立代辦機構。

——中央社二〇一六年九月十日，見《中時電子報》：https://www.chinatimes.com/realtimenews/20160910003241-260409?chdtv

二○○一年

絲路歸來

◇與教育局課程發展處中國語文教育組合辦「香港文學散步」活動
◇任香港中文大學中文系香港文學研究中心主任

我終於踏上了絲綢之路！

到二○○一年才「終於」，總有許多原因。每年暑假才有較長假期，夏日炎炎，西北火酷，我怕熱，就一年拖一年了。年紀愈大，身體愈差，信心愈欠，不去的理由更多。可是，今年，下定決心，非去不可。

西部大開發，口號一叫響，富豪步伐踏開商機路，原來的歷史文化面貌，在現代化的助力下，會變成甚麼樣，很難推想。

當然，開發帶來的現代化，也有很多方便。我們坐冷氣十足、啟用不夠一個月的旅遊車，中途稍休下車，太陽火紅熱力，全身一蓋，就明白自己早已備受現代化生活寵壞。在烏吐超級公路上，遙遙看到公路旁豎著國際通用的藍色大交通牌，牌上入油、刀叉、P字母三個圖文，不禁心頭一寬。加油站的停車場，完全符合國際水準。車一停下，連忙跑向新型廁所去，絕不為了急切生理需要，而是為證實最起碼的現代化已非夢想。雖然這是目前唯一建好的中途站——小草湖站，畢竟這「示範」起了安慰作用，也讓往後幾天，蹲在石後草堆中方便的尷尬心情，可以生點平衡作用。走完一段向世界銀行貸款及本地籌款興建的超級公路，轉入便道——他們叫便道，其實是凹凸不平的泥沙土路，顛東簸西得頭暈轉向的時候，不禁連連說：等再過兩三年來，就會好些。今回的所謂「下定決心」，是不是下錯了？等待現代化，有甚麼不好？

交河、高昌、鄯善、河西走廊、敦煌、莫高窟、嘉峪關、酒泉、張掖、武威……一切名字，變成實體。浩瀚黃沙，烈日瞇眼，一陣狂風沙暴，小島來客，不禁方寸大亂，才體驗到歷史的宏大！

我行走在歷史之間。

但一剎那間，我又從歷史聯想中給撕扯了出來。

天池，該是山明水秀，為甚麼要沿山路插上紅黃刺眼的旗幟？在池邊收費處，揚聲器強音播放著香港流行曲，山水清音，莫奈他何。高昌故城人潮洶湧，駕驢車的小伙子，一面使驢一面問我們有沒有香煙可打賞，一會兒又問我們能不能出讓手錶，總是心不在焉。月牙泉為防遊人弄髒，四周全圍上鐵欄柵，月牙像籠中困獸。嘉峪關，在歷史想像中，在舊日圖片上，孤城一座，雄峻蒼涼。如今卻有許多旅遊小建築物陪襯，城牆沿邊鋪設三色彩燈，據說晚上可顯得燦爛熱鬧……。

許多旅人只管看往日留下、今天可觀的風貌，買本歷史地理資料冊參考參考，隨緣逛逛，到此一遊，也滿心歡喜。只有我這個挑剔的人，眼中有刺，到處找麻煩，弄得自己不好過。

現代化沒有甚麼不好，但總該設法把古蹟風貌保護妥貼，這無法不想起羅馬、雅典、洛蜀、京都……人家怎樣使用現代化的方法來保護文化遺產。管理階層欠缺文化素養，無知與庸俗，無序而斂財，就破壞了許多歷史名物，這恐怕與現代化不現代化無關。

絲綢之路上，還有許多可觀之地，現代化設備，足讓我再老再弱些仍可以去。此際誠心祝禱：立法與管理人才的觀念都能現代化，品味和審美能力大大提升，則山水有幸，文化遺產可保了。

——刊二〇〇一年九月《明報月刊》總 429 期，作者署名小思。

❖ **參**

小思：其實很多地方我都想去，只不過中國地方這麼大，看書時又讀過不少地方，例如黃河、長江，所以想親眼看看。又例如敦煌的絲綢之路，開啟了我們中華民族的經濟命脈，很值得看。黃河、長江、敦煌都是紙面上刺激我官感的地名，一旦映到眼前來往往會很有感覺，我強調讀文字需要配合真實的感覺，這樣往往可以將自己更融入文字裡面，我去完黃河再讀黃河的詩篇，和起初只在紙面上讀有很大的分別。

——小思接受教育城校記訪問：〈從文學到香口膠之論〉，見香港新聞網：http://hknews.hksyu.edu/index.php/ 別人眼中的小思

二〇〇二年

◇將二萬冊私人藏書贈予香港中文大學圖書館
◇協助香港中文大學圖書館成立「香港文學檔案」
◇展開「口述歷史：香港文學與文化」研究計劃
◇從香港中文大學榮譽退休

香港家書

傑哥，三嫂：

一九九七年七月初，我私心許下諾言，要寫封長信給你們，大概有點總結報告的意思——向兩個離開了香港仍然關懷香港的老香港人，做一次香港身世大變化的撮述。怎料，一場臨門大雨，沖得我心情歷亂。日子一天天過，混沌、喧囂、紛擾，對像我一般需要十分理性、資料充足、甚具條理才執筆的老頑固，實在為難。要寫報告，自然寫不成了。

一九九七年六月三十號，我做了一件極笨的事，搭巴士由中環去堅尼地城，由堅尼地城去中環轉車去跑馬地，再由跑馬地轉車去筲箕灣，也就是說香港北岸主要幹道上，由西到東遊了一次車河。說笨就真是笨，李碧華聰明、敏感，她坐電車——你們當記得少年時代，遊電車河成為香港人主要消遣娛樂節目。我又極愛電車和那叮叮的聲音。但那天重要關頭，我卻竟棄而不坐，轉轉折折坐了巴士，真是陰差陽錯。看了李碧華《六三〇電車之旅》，我痛切反省，當日何故不坐電車？結論只能歸咎潛意識裡，我反抗大部分電車不再用

「叮叮」，用上汽車「砵砵」響號，「叮叮」是老香港的「訊號」——是許多香港人記憶中的市聲，清脆鈴聲，緩慢、穩重，午夜進廠前又帶了點淒涼。改用「砵砵」響聲，就與身世不符。

一九九七年七月二十五號，我到中環海傍政府大樓去拿「中華人民共和國香港特別行政區」護照，在那小公務員面前，流著淚，感動而興奮，然後一邊走一邊流淚。回到家，拿著深藍色封面熨金字的小冊子，傻裡傻氣笑著拍了一張照片：「立此存照」。一個從沒拿過 **BNO**，每次出外旅遊，在外國海關入境紙條上十分委屈填上「**British Subject by Birth**」（英籍〔香港〕）幾個字的香港人，這幾滴淚，一個笑容，盡在不言中了。

二〇〇二年七月一號晚上，朋友安排下，我會在灣仔會展中心看煙花。自那年煙花特別多之後，對海上發放的璀璨，又一下子復歸沉寂的場景，我已經感到膩了。從前一年一度放煙花，只因怕人多，不肯擠在人群中看熱鬧。偶然一次路過半山，適逢燃放，半天通紅，轟轟回響聲，把我扯回童年大炸灣仔的記憶裡，那一夜，我就做了個夢：海上逃難，在船上回頭看見灣仔在滾滾火光之中。好幾年，我都迴避不去看煙花。可是一九九七後，一連五年，我都在最「前線」看煙花。撲面而來，罩頭而下的花火，震動心房。我每一次都往後退，撫著急跳的心，腦袋卻空空如也。

每一次我們通長途電話，你們總會問：「點呀，香港？」在多倫多，電視上天天都可看到香港新聞，香港怎樣？你們問的是我的感覺多於實情現況。我的答案往往是「好熱囉」、「好濕呀」、「係銅鑼灣過馬路要捂住個鼻」……長途電話費便宜得叫人愈來愈不寫信，再沒紙短情長這回事，無聊話講多了不心痛。

今年我退休了，適逢香港教育大改革。心情好奇怪。多少年來，人人都說香港教育制度有問題，為以後長遠計，為下一代計，改是應該改的，但該怎樣改，沒有人——特別是有些教育「專家」，可以把話說到點子上，花腔人人會表演，悅耳而不踏實，只落得個眼花繚亂。沒有周詳計劃，為應付「求變」而推出改革大計，上上下下都心中無數。不知誰虛晃幾招，結果弄得人心惶惶——教育官員、教師、家長、學生都在惶恐中「互動」。每當我看見疲倦不堪、身不由己的盡責教師，趕路去參加教改會議、教改培訓班的時候，我就心痛。他們都是新政變法中的卒子，被逼過河，只好向前。我說心情奇怪，就是既關心它如何變，怕它變得不倫不類，有時又頓覺自己只是個局外人，理也理不來，大可兩耳不聞教育事，吃喝玩樂去也。可是，一念到「以身許教」幾十年，緣分締訂了，無由擺脫，也只好乾急中繼續關心下去。

這封家書，盡說些不相干的事，卻不是憑空製造出來的，雖沒有總結報告的重量，但算並不多摻水分。

二〇〇二年六月二十九日

——《香港家書》代序，香港：牛津大學出版社，二〇〇二年。

參

❖ 記得九七年六月三十日，香港回歸前夕，雨整天下著，如淚。我用一個傻瓜機，把電車沿線所見一一拍下來，輯成《六三〇電車之旅》一書（按：由天地圖書有限公司出版）。七年了，香港人似乎不怎麼快樂過，忐忑和惆悵已隨「古老的圖片」定格。……如花的鬼魂不再在電車上出現，演如花的阿梅亦已是亡靈了。只有電車，氣定神閒若無其事地，走過生死……

——李碧華〈叮叮一百歲〉，見二〇〇四年七月三十日《蘋果日報》副刊「種籽」。

四月一日

半個月來，我甚麼事也沒做，任日子一天天流淌，把諸多的禁忌密藏心底，只盼望焦慮的事不會發生，這個可憐小島，躲得過許多前所未有的磨難。

四月一日下午，已經好多天沒出外，我還是戴上口罩，去中環一趟。香港滙豐銀行總行大廈地下正舉行「City Heroes 都市精神」攝影展。我徘徊在排列疏落的框架前，試在黑白照片中，細讀透出的寂寂、奉獻、無求的精神——屬於這個可憐小島的都市精神，攝影家說是 City Heroes，我也希望是。銀行極大空間，鋼質砌疊宏巨支柱，把幾行照片架顯得空虛卑微。我抬頭數幾層，第五層？幾天前有個職員染了病毒，她現在情況怎樣了？也不記得她是不是住在淘大花園。

是買餸的時候。我走過菜市場。對面的超級市場門外，擠著兩條人龍。年壯小伙子托著兩包米，老伯拎住兩袋廁紙，無數外傭拖拉大包大包東西，蒙在口罩下的臉，有甚麼表情？我不知道。我正在凍肉店買雞翼，冰凍雞翼弄得手指黏黏，它們卻死冷死冷。收錢的白頭老闆分心的跟別人說：「搶米噃！你唔去搶番份？香港人癲癲地咯，打到嚟嘞？」這才叫我回頭去打量超市門外的人。香港人。

晚上，是四月一日的高潮。

跟蹬蹬看著電視。人是多麼虛弱，又那麼堅強，病毒無影卻又無處不在，不必遠在伊拉克，這幾天，我竟然忘記了伊拉克戰火下憤怨恐懼的眼睛。生化戰也正在我們周圍，病毒不斷變臉，對著愚昧又自以為是的我們，陰陰地嘻笑，我努力聯想淘大居民的驚慌，我設想兩個鐘頭內，要執拾些甚麼隨身，該帶些甚麼？夠傷腦筋。身外物原來那麼麻煩。

非典型肺炎死亡人數又增加一人！十六個。在生死之間，掙扎求存之際，他們失敗了，幫助過他們的人失敗了，但他們都努力過。

畫面突然中斷：「歌星張國榮在中環一間酒店墮樓身亡，終年四十六歲。」新聞報道員眼神微微一閃異樣，立刻又回復先前報告新聞的面容。我從梳化上坐直了身子，聽到自己抽一口冷氣的聲音，生死之間，他選擇了死，幫助過他的朋友失敗了。

生死亦大矣！

這真是一場愚弄，一場天地四月一日的遊戲。

二〇〇三年四月二日

——刊二〇〇三年五月《明報月刊》總449期「十方小品」專欄。

證

❖ 二〇〇三年四月一日《明報》港聞版：〈特首拍板封樓　百人通宵部署〉，內文報道：「政府人員昨日清晨五時許，大舉出動封鎖淘大花園E座，行動之快和急教人意外。知情者透露，這是因董特首眼見淘大花園個案迅速飆升，為盡快遏止病毒擴散，即時決定周日晚上召開會議，並作出了楊永強局長形容為『前所未有』的封樓決定。」

❖ 二〇〇三年四月二日《明報》港聞版：〈匯豐染病員工增至三人〉，內文報道：「香港上海匯豐銀行發言人表示，連同昨天證實受感染的旺角分行員工在內，截至昨天該行共有三宗證實感染非典型個案，大量客戶曾致電客戶服務員查詢受感染員工的個人特徵，但並無客戶表示因此已受感染或懷疑受感染。」

❖ 二〇〇三年四月二日《明報》港聞版：〈搶米市民：不再信政府〉，內文報道：「市民在疫埠傳言下，昨日恐慌地到各大超級市場掃貨，糧油食米及家居用品幾被市民掃個一空。有市民雖深信本港糧食充足，但由於擔心食物被搶購後，會出現短暫缺貨，也『被迫』加入搶購行列。」

❖ 在攝影師梁家泰眼中，香港是一個充滿希望及溫情的地方；「香港精神」就是勇於克服困難、創造成就和守望相助的精神。為了重現這種「香港精神」，梁家泰花了近一年時間，籌辦全港首個以香港典範人物為主題的「都市精神」攝影展，並把有關相片結集成圖片集。「都市精神」的主人翁，是四十位來自不同社會階層及文化背景的人。

——網上讀取：http://www.netstar21.com/program_Detail.cfm?ID=689

❖ 二〇〇三年四月二日《明報》港聞版：〈張國榮情困跳樓亡〉，內文報道：「一代巨星張國榮，昨午到中環文華東方酒店二十四樓健身室健身完畢，兩小時後不發一言，突從上址露台跳樓身亡，終年四十六歲，亦為其二十六年演藝生涯畫上句號。」

二〇〇三年

書店與夢

愛書人沒有一個不愛逛書店。

但書店的品格很重要，也決定了愛書人與它的緣淺緣深。品格，這個詞，用得有點不尋常，得解釋一下。其實也很簡單，人有人格，店有店格。店的品格，有些人認為可以從店面裝潢、書種書品、店主店長店員表現等等形成的外觀感覺得到。

我常問去台灣逛書店的朋友，誠品書店有甚麼令他們著迷？「舒服。」他們幾乎異口同聲這樣說。怎樣舒服法？難道香港沒有舒服的書店嗎？沒有人好好回答我。

偶然有人會反問說：「你遇過舒服的書店嗎？且說說看。」

我立刻神思飛馳，眾裡尋它。

單就香港一地說，幾十年逛書店經驗，記憶中，沒有太大驚喜和十分舒服的印象。有人諒解說：香港地少租貴，書店難有氣派。提到氣派，就跟品格差不多，那與地方大小無干。每年舉行的書展也夠大了，氣派不能說沒有，但那是商業氣派，格局布置，與家庭禮品展、電腦用品展沒多大分別。愛書人身在其中，就是不舒服。有些書店也盡力做到明淨安然，但奇怪的就欠了一種讀書人想要的味道。

讀別人寫逛書店、冷攤，特別是舊書店，真令我神往。北京琉璃廠，在老一輩文人筆下，是個太遙遠的神話。七十年代末，初訪琉璃廠，那些老店，剛經文化劫災，滿著愁苦滄桑，但仍散發著沉厚的書卷味。可惜往後的日子，商業生意主導，變得俗氣逼人了。

上海文廟星期天的地攤，雜亂骯髒，倒有點廠甸風貌，據說早上五點鐘開市，我八點鐘進去，已見淘得好書的人笑盈盈走出廟門。攤前人群埋頭翻書，攤主也不大理會顧客，偶然討價還價，卻不緊張。很久沒去逛了，最近聽說，地方管理人員認為生意有可為，決定進文廟要收費。逛冷攤要收入場券，真煞風景。

有朋友以為我怕人多擠迫，所以不愛香港書展。其實不對，人多而興味相同，再擠些也不可怕。日本許多一年一度的書展，特別是擺在大百貨公司頂層裡的舊書展，人流之密，簡直寸步難移。大百貨公司，夠商業化了罷？奇怪的是整個場所完全沒有商業味，擺攤售書人細意向翻書人介紹版本，淘書人埋首尋珍。每一隻挪移在書本上的手，都是斯文溫柔的。

書店的品格，不在輝煌裝修，當然，設有深色、由上而下略向外傾斜的木書架，並有咖啡茶坊、舒適座位，那會令入店人愜意。但愛書人更重視的是書種的選取、售書人的懂書程度。一個有識見的書店老闆、一個懂書的店員，對書店的品格影響極大。

現在許多大書店的老闆只管行政，只關心銷售情況，就算懂書，也無暇理會書種，交給下屬處理，未見得人人擔當得起。小書店老闆坐鎮店中，書來書往，瞭然於心。愛書人進店，閒話兩句，早有了人的交流。偶爾購入好書，又記得顧客口味，捧出來推介，就生貼心感覺。懂書的店員也可讓人客入店不隔。可惜，太多售書人只把賣書當成謀生工作，毫不投入，甚至根本不懂書，那怎能與人書交流？

香港也有過一些有品格的書店，店主多本是愛書人，設書店既想以文會友，又可滿足坐擁書城的樂趣。可是，撐得很苦，畢竟，這是個講求經濟效益的社會，書香品格，太難求了。看著他們興高采烈地開店，意興闌珊地關門，都嘆夢圓夢碎。

曾經也有一個夢：退休後，找個小地方開店，屋簷低矮，舊書滿架，坐在角落，獨自看書，等待愛書人來，沏杯清茶，可聊則聊一陣，談的是書，不關人事。愛靜的也由他，各自翻書。

夢，儘管做，這是與書有關的甜夢。

（《信報》按：作者為「牛棚書展」駐節作家之一）

——刊二〇〇三年七月十九日《信報》頁二四，作者署名小思。

❖ **證**

牛棚書展邀請小思、也斯和平路擔任駐展作家，與香港書展邀請的作家比較，不同組合與其說展現不同作家面貌，不如說是不同書展策劃者的需要。如果不把書展視為集體買書活動，而是書群的展覽，過去香港書展為人詬病的，正是只有前者而缺乏了後者，而牛棚書展似乎正期望恢復後者，即書籍作為展覽的意義。

——陳智德〈書展與讀書的新故事〉，見二〇〇三年八月十四日《明報》「世紀」版。

校園風景

二〇〇三年

我是中文大學第一屆畢業生，沒在中大現址上過課。我在中文大學工作了二十二年，倒看了校園二十二年風景。

中大校園很大，山上山下，我不懂開車，靠雙腿走路，二十二年，沒走過的地方很多。上課、辦公、開會、用餐等等活動，來來去去也不外幾個地點，正因如此，儘管風景變化大，感情仍然很凝聚。

中大型體一統，卻又分成四個院校，某些組織工序，每院校各有自成一格的處理方案。例如我入職那年，剛巧崇基學院教席有空缺，我就隸屬崇基了，於是，常有機會到禮拜堂去參加周會。

那座禮拜堂，取景設計實在很見心思。堂裡正前方是個巨大的十字架，十字架後，是由堂頂至底的巨大玻璃。周會開始前，白色幃幔遮蔽著玻璃，天光透過幃幔悠悠地照拂座中眾人。快散會時，幃幔徐徐拉開，通過玻璃，正可看到馬鞍山與藍天白雲。我不是基督徒，坐在裡頭，卻自然充滿上達天聽的惑覺。每一次，我抬起頭看見山影天輝，滿心都有受到天恩祝福的喜悅。

我的辦公室在中部。圖書館、朱銘巨型雕塑、百萬大道、文物館構成一道主體風景，也是我流連最多的地方。

由圖書館門前，走向朱銘的「門」，一看就把百萬大道看到底，給人穩重正當的印象。學生許多宣傳、諮詢、交流活動，都在「門」前舉行。每見烈日當空，學生組織的工作人員、應邀嘉賓坐在臨時講台上講話，而聽眾少得可憐，過路人的笑聲話語又往往太響，我就很難過。當然我不會忘記百萬大道坐滿了師生的那個中午。那一年反對四改三的運動正如火如荼，學生聚坐在百萬大道上，為大學爭取合理權益，我也坐在當中，沒喊口號，沉默地注視著那些年輕面孔。這是我有生以來第一次參加那麼龐大的群眾集會，第一次覺得自己必須表示立場，和群眾在一起，提出合理的要求。一個學生發現了我，神情有點驚訝，定睛望著我，輕聲說：「盧老師，您也來了？」我明白她訝異問話背後的含意。大概當年我給學生的印象是固執、保守、守規矩的四方木頭，絕不可能成為抗爭的一分子。的確連我自己也曾驚訝這一行動。在香港的教育程式中，從沒有教過我甚麼據理力爭，只教會我規行矩步，我不敢站在人群中。可是四改三明明白白對大學教育不利，不表反對，實在不負責任。中大百萬大道上，我曾在學生群中，標誌著我開始成熟。

上課地點多在山頂，聯合書院的課室用得最多，退休前兩年，開的大課都在新亞。兩座性格各異的水塔，常常垂著彩色條幅，宣示聯合、新亞正舉行甚麼慶典或活動。至於它們原來是一男一女的身世，倒是學生興味極高地告訴我的。

我最愛胡忠圖書館前的一大片草地，這片草地四季各具姿態。每逢上早課，我一定提早半小時上山，在草地上散步，讓凝在草尖的露水霑濕我的褲管，或蹲下來細看螞蟻遊行，這是好的一天開始。貼近鄭棟材樓的一株細葉榕最雍容，有一年，我陪中國園林名家陳從周先生逛中大，他說，從草地遠望這株樹景致很好。給園林名家一讚，我為中大這株樹高興了很久。上創作班課，春秋佳日我總有一兩節課，與學生圍坐草地上談文說藝。只是近幾年我的膝蓋疼痛，坐了半天，要站起來不容易，得要學生兩邊攙扶，形相有點滑稽，我對學生說：「坐草地聊天，很浪漫，但應趁年輕。」這片好可愛的草地，最後它都失守了，多加了人工修飾，都市人不懂珍惜天底下難得的一片自然綠意。

聯合伯利衡宿舍旁有一條小徑，不長卻幽雅，我喜從這小路漫步到新亞。

還未到上課時間，憑欄可眺望吐露港，這個港灣、沿岸的公路、鐵路，多少年，挪移變化，盡在目中。許多感人故事發生了，又給遺忘了，恐怕只有故事中人刻骨銘心。偶爾我會坐在新亞廣場的台階上跟也早來的學生聊天。坐的位置背後，圍牆上剛巧刻的是六十年代畢業生姓名，我一一細認，重回農圃道的歲月，水塔下風聲鳥鳴，遙遠而朦朧。錢穆圖書館藏中文書，理所當然，但我進去的機會不多。提起錢先生，我不能忘記雲起軒的聚會，更忘不了邵逸夫堂裡他與朱光潛先生的台上相見一幕。雲起軒，老少校友恭恭敬敬上前拜謁老師，老師眼睛已經看不見了。邵逸夫堂，大劫餘生、一臉倉皇的朱先生跟神采燦然的錢老師站在一起，歷史正在有力地下判語。

我常告訴學生，特別是一年級新生，進了中大，千萬不要錯過八仙霧鎖，吐露朝暉，更不能因趕考試忘了校園杜鵑的匆匆開落，還有春來不要忽略聯合那幾樹白梅。

校園風景，人人記取不同。你在看風景，也構成了風景。莫失莫忘。

——刊二〇〇三年九月《信報財經月刊》總 318 期，作者署名盧瑋鑾（小思）。

參

❖ 朱銘的《門》，是抽象的門，同時是實質具體的門！……它的位置好，從圖書館正門出來，正對它。它置於淺淺的台階上，智慧與知識不必高高在上，讓一眾人等接近。透過它朝向大道，那寬闊正道，直達科學館的圓形建築，上標中文大學宏麗校徽：博文約禮，簫韶九成，鳳凰來儀。從典藏圖書知識的地方，遙遙接引着吉祥之兆，就正好通過門，一條筆直縱軸線來完成，這是中文大學氣派所在。聽説中大學生從不敢自門下走過，傳聞懼怕不能畢業，但我深信跟許多歷史傳説一樣，背後總隱藏着另一種意義，是表示對堂堂正正的門的尊重，學子不敢怠慢，繞道走就像古人進大宅，自謙地必走側門。

——小思〈《門》的意義〉，見二〇〇八年十二月六日《明報》副刊「一瞥心思」專欄。

證

❖ 我修讀了老師的〈現代散文〉，當年中大口碑最好的課。小思素不喜人遲到，但我因為做慣夜貓子，十時半的課往往十一時半才入課室，同學都為我捏把汗，因為據説老師會用最嚴厲的眼神瞪著遲到者。也許我睡眼惺忪，對此倒沒多大感覺，但每次坐下沒多久就得下課，時間確是過得特別快。那門課的小組導修，由小思親自帶，在聯合書院上。我們跟著她，一篇一篇，從周作人、豐子愷讀到許地山和梁遇春。我是「問題」青年，有時下課，還會纏著老師在課室外大草坪散一會步，甚至在黃昏中陪她步行回馮景禧樓中文系。那些時光，現在回想，都是金色的。

——周保松〈當春風吹過〉，見二〇一五年八月四日《明報周刊》2438 期。

巴金在中大

我一向沒有即時寫下跟文化人或作家見面情況的習慣，只有一次例外，那就是一九八四年十月巴金到中文大學接受榮譽博士學位的那次。

當年巴金到香港的確相當轟動，天天見報，認識與不認識的人都熱情登門拜訪。許多愛好文學的朋友都對我說，他住在中大，你應天天見到他，怎麼不寫出來給大家看看？孰料我的答案令他們十分失望。

巴金的確住在距離我辦公室不遠的中大賓館，但我只在一個由中文系主辦的座談會和午宴上見過他。

巴金坐著輪椅來，由早到晚要應付無數來訪者，簽名、拍照，出席各種宴會、座談會，我實在為他的體力和健康擔心。他寫過一篇文章叫〈干擾〉，說自己時日無多，訂下許多寫作計劃都未完成，每天在家裡聽見來訪者敲門聲就膽戰心驚，留給我很深的印象，現在又怎敢再去打擾呢？

正因這樣，我萬分珍惜十月二十日的那個早上。

參加座談會的人早就到了，都站在走廊上等著。一群人攙扶著巴金，緩緩地從走廊另一端走來。座談會主持人余光中迎上前去，兩岸的文學人物緊緊握手——這可以說是歷史性的握手。我站在旁邊，拿著照相機，卻因為看得入神，竟忘了要拍照。於是，就錯失了記錄這珍貴影像的機會。

巴金由他的兒子李小棠、女兒李小林攙扶，進入會議室坐定。座談開始，余光中站起來開腔了，出乎意料，他竟說起四川話來。他說巴金是四川人，他也曾到過四川，所以先說幾句四川話，才正式致歡迎辭。這下子立刻把近乎官式的樣版開場白變得親切了，一直沒有表情的巴金的臉上，也稍稍露出一絲笑意。往後，巴金也講了話，不長，大概說自己不擅辭令，要講的都借助文字，也一再強調作家說真話的重要和所需要的勇氣。

與會者紛紛提了許多關於現代文學的問題，巴金慢慢柔聲地回答。我們都明白，表面簡單的問題其實十分複雜，不是三言兩語可以給圓滿解答的，而且許多話，巴金在文章中都寫過，座中人主要還是為了一瞻儀範而來。我想討論、回答並不太重要，座談會就在有問有答的情況下完成了。

在柔和的燈光下，我注視著這位久歷災劫的老作家。他穿著深色西服，結棗紅色的中大領帶，臉上很木然，眼神凝斂，嘴巴常不自覺地張開，長久沒有表情，像沉潛在另一遙遠的國度，滿頭白髮閃著一種令人敬慕的光華。敬慕的不單是他的作品，更多的是他那顆真摯激盪的心靈。

巴金離開會議室，走到百萬大道，引起許多過路學生注意，都停步了。那種注目，不帶青春偶像式的狂態，而是在香港久違了的成熟敬仰。午宴設在校長特設的貴賓廳，我經過范克廉樓，聽見一群司機工友正互傳著說，巴金來了。一個女工友快步走前去，呢喃地說：「《家》、《春》、《秋》呀。」

巴金坐著輪椅來，經過幾天勞累，卻精神奕奕地扶杖漫步，然後帶笑揮別。這過程變化，我想應該用他自己的話來解釋：「我是追求友情而來的，現在滿載而歸。在香港，我感到大家像兄弟一樣向我伸出溫暖的友誼之手，我只有緊緊握著他們。我常說，我是靠友情生活、靠感情寫作的。」

在來港前，巴金曾寫信給冰心：「聽說你對我香港之行不放心，有道理。這次出門，我再沒有雄心壯志了。我說走，也有點勉強，擔心自己吃不消。」但到十一月九日，他的信卻如此說：「在港十八天我們的確過得十分愉快。」

尊崇、愉快，是當時香港人送給巴金的獻禮。

——刊二〇〇三年十一月《明報月刊》總455期，作者署名小思。

證

❖ 一九八四年十月，巴老赴港接受香港中文大學名譽文學博士學位前夕，我和幾個中青年作家約好給巴老去賀電。……我們決心聯名給巴老拍一個有趣的能逗他發笑，哪怕讓他只笑一秒鐘的電報。請冰心老太太出個詞兒。她稱贊我們的這番心意，說「巴金準高興」，「讓他高高興興地上飛機。」她說，電文越隨便就越親切，巴金這人辛苦一輩子，勤奮一輩子，認真一輩子，這次去香港，叫他好好休息，盡情享受，別累了，別苦了，住得習慣就多住幾天。

——吳泰昌〈冰心：「巴金這個人……」〉，見二〇〇三年十一月十四日《人民日報海外版》第七版，網上讀取：http://www.people.com.cn/GB/wenhua/22226/ 30600/30602/2203015.html

縴夫的腳步

我首先解釋一下題目。在太空時代，我竟然還用一個如此落後的詞語——「縴夫」。甚麼是縴夫？縴夫就是指那些運用自己的身體能力，全力把載重的船逆流而上拉到目的地的人，他們就稱為縴夫。現在是講求「生死時速」的時候，我竟然談論縴夫，是不是不能與時並進呢？其實，縴夫是一個很好的象徵。它象徵了甚麼？縴夫負責運輸交流，將一個地方的人、事、物運送到第二個地方去，這種傳遞與交流，與老師的教學工作與知與情交流是一樣的。此外，他們都是默默無聞的小人物，在歷史中，他們未必會留下名字，所有縴夫都清楚知道這一點，但他們依舊賣力從事這行業。

縴夫腳步——我有很深刻的印象。當我第一次在長江邊走的時候，導遊告訴我，在長江邊的石堤上，有一個一個的腳印，這些腳印是千年萬代的中國縴夫一步一步地走出來的，在石上留下痕跡，這令我深深感動。這些人物雖然寂寂無聞，但是人們不會忘記他們，因為他們的腳步已留下來了。

究竟今天的老師是不是縴夫呢？是。除了我剛才所說，他們把事物、知識、人情作交流外，他們還每天逆流而上。所謂「逆流」，包括傾斜社會的風氣、失敗的教育政策，這些環境每天每一刻都在他們身上施加了很多逆流阻力。在這種情況下，究竟我們應該怎樣做？

今天在台上，我借用了兩句話，第一句是：「溫故而知新，可以為師矣。」我相信不須再解釋「溫故」了，任何一位老師都要「溫故」，但是「知新」是指甚麼呢？所謂「知新」，其實每天都有新的知識來到我們面前，怎樣才是「知」？我們必須在求知之後消化知識，然後把它變為生命的一部分，再把它傳遞給別人，這「知」才是有效的。至於應用，是「知」的最重要部分，光是知道是沒有用的。怎樣才是有效的「新知」呢？現在全世界的知識、事件、社會的風氣都急劇變化，教育是一個群體的工作，亦需要講求個人的努力。不過，單憑個人的努力是不足夠的，只有一個人當一位好教師，是撐不下去的。故此，我們面對「新」時，要採取甚麼角度？我們要不斷地自我增值，不要躲在自己狹窄的圈子裡，要追上時代。此外，現在的香港教師還要面對教育政策的「新」。一些由上而下的新政策，往往造成教師無可避免的逆流阻力，很多毛病都是來自這些決策的「不知不覺」、「一知半解」和「明知故犯」，這種「新知」可說是有害的。

以下我要說的話，可能許多人都不同意，但作為在香港從事教育工作四十多年的人，我有深深的感受，就是香港的教育決策者中，有許多不是教育家，不是真正的前線教育工作者。許多時候，他們並沒有錯，他們只是從行政、經濟、可量度的數字等角度，去考慮及釐定整體的教育政策。甚麼是行政的考慮？就是要快速見效，要量化。總而言之，就是推出計劃後要很快看到成效。可是「百年樹人」，那些真真正正的效果不是一兩年可以取得的。第二是經濟的考慮，節省是應該考慮的，過分的浪費是應該節省的，但是教育的投資必須用得其所。我們很容易看到一些錯誤的投資造成了浪費，不只浪費金錢，還浪費了人力和時間。決策者可說是沒有犯錯，錯在他們不知道教育的藍圖上有許多值得考慮的地方。對於近來的各種新政策中，我要指出一點，我們都知道需要改，這是必然的，時代不停變遷，我們不能一成不變。然而，歷史告訴我們，過急的新政改革必定有錯失的，必定有人不適應的，因此我希望決策者是逐步改善政策，而不是「忽然」全部改革。改善需要循序漸進，是不能急的，不可能在短期內發出一個行政指令，企圖解決問題。因此，「溫故而知新」不只是老師的責任，還是所有教育決策者的責任。

第二句是《易經》的「天行健，君子以自強不息」。在座如有中文老師，請原諒我是先曲解這句話的：每一個「君子」的頭上都有一片「天」，如果這片天過分「行健」，就會破壞恆常的秩序。作為「天」底下的「君子」，便必須「自強」，否則便受不了。你要「不息」，我解說為即是不要休息，由早上到晚上，由教學到行政、開會，開會直到晚上九時十時，這樣就是「不息」。很抱歉，各位中文老師，我如此曲解這句話，因這曲解的意思確確實實地描繪了今天教育工作者的苦況。我這些話不是在吐苦水，我也沒有苦水可吐，因為我已經退休了，再壞的事情都與我無干；但不是的，關心香港的人、關心香港下一代的人都不能推卸責任。我希望將來的教育決策者不要太心急，不要過分「健」，因為過分「健」，便會推行得太急迫。所有機器如果超速運作，都有危險的。

還有一樣事情是很重要的，現在我們會把事情量化，從而評估老師做了多少工作，認為老師不眠不休地工作才是好老師，其實這是絕對錯誤的。現在的政府提倡知識型經濟，講求創意。知識型經濟需要全副的裝備，而創意指腦袋有靈動的空間。當一個人由早到晚工作，完全沒有空間讓他有散漫的感覺，即使他想思考也無法思考。許多著名的哲學家、科學家都喜歡散步。若你要現在的老師有閒散步，他們能嗎？散步不是讓人消閒的，散步能讓人的腦袋有時間在空中花園散步，能讓思想自由飛翔，這是十分重要的。我們不可用人用得太盡，應把時間，特別是思想的空間、時間，給予真正想從事教育的人，這才是合理的「天行健」，在底下的君子才能配合到「自強不息」。不論從事甚麼行業，特別是教育工作的人，都十分需要休息。因為他們即使放學回家休息，也不是躲懶，他們仍然記掛著學生，仍然思考如何教好一堂課，以及如何設計明天的教學方法，所以說他們「不息」，這行為他們是願意的。

最後，我衷心盼望教育決策者除了合理運用資源外，應考慮人性、人情、人事。當設計決策時，不要只顧硬件的設計，必須把老師作為一個人來看待教育的需要。

這次我得獎，我相信在座有一些人可見證我曾拒絕獲獎，理由是我不認為自己值得獲獎。在過去的日子，我很幸運能遇到好學校、好校長、好同事、好學生，即使在港英時期最不好的教育制度下，我進入課室後，依舊能掌握自由度去處理教學事情。可是，現在有許多教師不論是進入課室，還是在課室以外的地方，都無法掌握自己的教學程式。然而最後，我還是領了獎，理由是這個獎項不是屬於我的，我是代現在香港教育工作行列中認真而默默耕耘，卻沒有受到應有尊重的老師而領此獎的。我站出來領獎，是希望告訴老師：放心吧，你的努力，必定有人肯定的。如果肯定遲來了，沒關係，總會有人肯定你。我很希望教育同工在極度困難的環境下，依舊可以自強不息，謝謝各位。

——二〇〇三年十二月八日在「傑出教育家獎」頒獎禮上的講辭，文集《緯夫的腳步》代序，香港：中華書局（香港）有限公司，二〇一四年。

參

❖ 二〇〇三年十二月九日《明報》教育版：〈小思斥教改損教師尊嚴〉，內文報道：「前中文大學中文系教授、著名文學家盧瑋鑾（小思）昨日從教統局局長李國章手中接過『二〇〇三年傑出教育家獎』。她致辭時批評教育政策失敗，指『教育決策者』急於推出新政策，對教育一知半解、明知故犯，最終一定會造成錯失及令老師失去尊嚴。李國章並未回應小思的評論，教統會主席王葛鳴則說，同意改革不能急，並強調會按部就班。」

二〇〇四年

無限心量

許多人說，生活真悶！

許多人說，生活圈子真侷促。

打開網路，好像有無數可以交談的人，有五花八門的新奇事物在吸引，但都浮浮泛泛，迷入虛擬之中。關閉電腦，白光一閃，一切就與我無干了。

許多人說，我沒有錢，沒有房子，沒有出路，怎可得到美好生活？

許多人說，我找不到愛情，沒有愛的可托，怎可得到快樂？

苦苦追尋，以為走了好多路，原來只不過原地踏步，人生真苦！

這樣想的人，都以虛設為目標，都以量作衡量，都以極少數人為對象。一旦發現虛設並不實在，量有局限，失去了那極少數的人，一切落空，怎能不苦？

古今哲者為了解脫這一苦，想過無數途徑，讓我們各取所需。

我也苦過，特別是年輕的時候，總覺世上無處安身。幸而，我遇到良師——錢穆先生、唐君毅先生，他們也從苦中來，設想了一套解苦之法。在我徬徨無助的中學年代，讀到錢先生的《人生十論》、唐先生的《人生之體驗》，竟有了豁然開朗的收穫。他們都說了一個很重要卻又極近我們的道理。原來一切苦，來自我們過分局限了自己的心，過分重視自己，狹隘的生命，必然難得圓滿快樂。

錢先生說：「身量有限，而心量則無限，人當從自然生命轉入心靈生命，即獲超出此限。超出此限，便是解除苦痛。」又說：「中國人主張盡人之性以盡物之性而贊天地之化育。一個善字，彌綸了全宇宙。」這段話並不難懂，真善美，並不遙遠，就在我們的心中。這個心，不是生理的心，而是投在天地化育之中的超乎個人私利的心。唐先生說：「你的心不只須與人類精神合而為一，尚須求與宇宙一切生物之生命合而為一。」

也許，有些人讀以上的幾段文字會覺得抽象，不好理解，這正好證明我們的心太實，太局限，不習慣從廣大空間去接觸問題，一句話「我唔明！」就排拒了所有可以進入自己生命的事理。局限自己的心，太自我，就無法快樂。

怎樣才能得無限心量？我也問過。我把當年啟發我，如詩一般唐先生的話抄下來，也許，你會喜歡：

你可曾對著朝陽，想化為甚麼

萬古如斯的照著我們？

你可曾對著明月，想他為甚麼

總是繞著我們地球旋轉？
你可曾想你自己是日，是月，
是星，是那無窮的星雲世界？……
你有如是之思想時，你心中的
宇宙之各部自己互相貫通了。

——唐君毅

把心量擴至與天地宇宙合一，就不會斤斤計較個人的得失，把心安頓在宇宙的「大」中，我個人的「小」，不算甚麼一回事了。以上所說，真是說說容易，做起來倒要經歷千山萬水。心，就在我胸腔裡，要抓住他，把他擴展至無限，原來那麼難，足證明他的奇妙。

我曾苦惱，該如何擴展心量？

終於，我發現時刻念著如何擴展心量，還是太重視自己了，這仍不脫「小」我，局限仍在，痛苦仍在。

終於，我明白，只有把關懷推到身外，移情於天地人間，心量才會無限。

白雲滄海，生機流動，都能令心量擴展，樂在其中。

——刊二〇〇四年二月《拓思德育期刊》41期，作者署名小思，見香港廉政公署德育資源網。

電腦情結

我們正處於一個電腦極速發展的時代！

從前，我曾暗笑那些畏懼乘扶手電梯的老人家——那時候我還比較年輕，也許該說是不夠老——慌失失，怕甚麼？穩穩陣陣站著就是，不會生甚麼意外。他們卻說怕電梯上下移動速度太快，舉步艱難。

今天，我還不怕乘扶手電梯，但卻怕另一件事，而這件事是與我日常生活息息相關的。我怕看懂電腦的人打電腦！怕日日新型的電腦！

自問一向閱讀文字的速度很快，看微縮膠卷的能力很強，真是訓練有素。我可以從轉動膠卷中閱讀所需的文字材料，看上兩三小時毫無問題。許多人就無法忍受，會頭暈想吐，但這卻難不倒我。還有一點，就是自信學習吸收能力尚算不錯，學習電腦，總該不太困難，誰料實情並非如此。

利用電腦作文字處理，我很早會用，且得到不少方便，但電腦還有無盡的功能，太吸引了，實在非學不可。拜師學藝，虛心求教，幾十年來早已成習慣，沒想到在學電腦這一關，卻吃盡苦頭。

我已經不敢找那些電腦高手來問道了。普通懂一般程式的人，總可以指點迷津吧？可是，一坐在電腦前，師傅一動手，我的痛苦就來了。通常老師十指運行如風，是十指全用嗎？我還來不及看清楚，怎看得清？又要看鍵盤，又要看熒幕，一雙手擺在鍵盤上，極速打動，我想發問，也不知道從哪點插問。偶然趕得及問，老師總覺那不是問題，只飛快打上幾個鍵，讓畫面來回閃動幾趟，算是解答了我的問題。這樣下來，自覺是個極低能的學生，不好意思再麻煩人家了。

那就拿說明書或電腦指令光碟來細讀吧，誰知這一回更痛苦。打開中文說明書，每一個字我都懂，偏偏幾個字湊成的句子，我卻無法明白它的意思。這一打擊真大！連中文也成了難題，那怎麼辦？

電腦真像個極聰明的頑童，有時它要起你來真是無法無天。

我開了電腦，就很謹慎，很守規矩，從不敢逾越自己懂得的範圍，偶然忘記了一些步驟，就要等人來救，才敢做下一步。可是人總有閃失的時候，它又敏感，有時無緣無故，揩了一個鍵，畫面就天下大亂。有時它會把我正在用的資料藏起來，弄得我手忙腳亂，整個工作就停頓了，時間也無法控制。這樣一亂，只好帶著憤怒與無奈把電腦關掉。

上網，又是最大的誘惑，當然非學不可，可是隨之而來的困惑也多。電郵垃圾一大堆，我可以把它們一筆勾消，病毒卻嚇得我膽戰心驚，雖然裝置了防毒程式，還是怕魔高萬丈。

看見別人在電腦前揮灑自如，看見小孩子不學而能，看到人家自創電腦玩意，看見年輕專家設計新程式，樁樁件件都叫我羨慕極了，我卻面對那麼好玩的工具顯得低能，如此無助無力，其痛楚之情，真難形容。

好心的人叫我不要怕電腦出錯，大不了把機關上，重頭來一次。好心的人勸我不要再碰電腦，仍舊走老路，拿本白紙黑字的書看看過日子。

我不忿氣，依舊坐在電腦前，慌失失地打開它！

——刊二〇〇四年三月《明報月刊》「十方小品」專欄。

參

❖ 我早已決定放棄追問甚麼是「數碼」了！最初，還十分好奇好學地認真向內行人細問，也有人肯耐心為我一一講解，可惜我深一腳淺一腳走完迷障似的解說後，竟仍在五里霧中。……一切數碼化後，我們必須承認：「數碼人生」世代來臨，主宰著人類的命運。但，人還有很重要的部分：心靈思想，不是那些科技能夠幫得上忙的。我們該怎樣在這樣的世代存活，而有足夠的保住自我、不受干擾的心靈淨土能力，正是最值得思考的當前急務。

——小思〈數碼人生〉，見二〇〇五年十一月二十四日《明報》副刊「一瞥心思」專欄。

去年四月

去年四月，是個最殘酷的月份，我並不是用 T.S. 艾略特的含意，香港人應該不會忘記香港人自己的含意。

儘管今天仍有檢討疫情的聆訊會斷斷續續在開，但它已經不是報章頭條了，也就是說它不再是灼熱香港人心眼的新聞。電視、電台還不斷播著提醒市民要注意衛生清潔、預防感染非典型肺炎的告示，相信沒多少人會放在心裡。

我是個固執的人，通過視覺的記憶特別強，只要一想到某一個令我難忘的視象，它就會立刻跳閃出現，如果我不趕快理性地抽身推開，它們必然如凝鏡般苦纏。

去年四月的無數鏡頭，也如同其他難忘的事件儲著，抹不掉。幾個月過去，我常常假裝忘記，反正要忙的事還多著，賞心樂事也不少。但假裝畢竟沒作用，它仍然存在！

一條條沉默的街，香港鬧市的噪音忽然消失。人群依舊匆匆走過，白色口罩遮掉面孔三分之二，臉上剩下雙眉雙目，不慣眉目傳情的香港人，變得更沒有表情，流動的人體像黑白照片，呆滯地移動。

一次，生活實在太沉悶了，我約了友人出外見面，吃頓晚飯，她答應得有點勉為其難，終於還是應約來了。她沒有立刻除下口罩，我細看友人的眼神，是那麼虛怯、浮游。我問，你沒事吧？她搖搖頭。我們良久沒有打開話題，大概她看到我的眼神和表情也差不多，只是她較含蓄，沒問我。我們實難忍受那像彼此刻意保持距離的冷寂，那頓飯就草草收場。這段小插曲，對許多不幸染病的人或家庭來說，簡直不算甚麼一回事，卻令我深思。

不是病毒入侵了我們身體，我們都沒患病，可是無形的恐懼病毒，就在健康的人之間遊走。我們每天注視患病個案，留意有患者的區域、大廈名單，聽見有人咳嗽、打噴嚏，迅速保持距離。直到今天，有人咳嗽、打噴嚏而不掩口鼻，我都不自覺地怒目而視。這當然是那些人沒養成良好衛生習慣，但我的反應和恐懼，深信仍與去年四月有關。

我不知道淘大花園居民的心情回復了沒有？也掛念著逝者家人的悲傷，說是康復實則受盡後遺症折磨的倖存者的掙扎、抗病毒戰線上的醫衛人員的委屈——聽說有人正收集口述資料，有人拍攝、剪輯紀錄影片，有藝術家創作藝術作品，也有社工、宗教團體做心理輔導的跟進工作，但非典型肺炎受難者的淒涼遭遇，恐怕不是文字影像可以記錄的。他們的內心恐懼，更非外人的安慰可以撫平。

去年四月，我常常似窒息地注視著電視畫面。特別是四月一日的晚上，鏡頭擺定在淘大花園E座門外，在幾小時中，只有少數工作人員稍稍移動，空鏡死氣的時間多，廣播員來來去去講著資料，能打通電話與住戶聯絡，聽到他們的聲音，已經叫我深深吸一口氣。在幾小時內，他們在做甚麼？我驚恍地設想。黑夜如死，恍似暴風雨前的可怖。好不容易等到第一家人提著小行囊遲遲疑疑地走出門外上了車，我記住一個男人回頭看顧孩子的動作。

電視畫面上呈現著醫院、醫護人員的走動，跟著是靈堂的擺設，一切歷歷在目，每一次想起，我都有餘悸。

今天，我在電視新聞中看到問責官員若無其事回應質詢，狡辯卸責，不禁問，這些人的內心深處，如何安放去年這些鏡頭？

今年四月，香港鬧市比以前更喧鬧，市民面對另一場病毒——禽流感已處之泰然，只有少數人偶然想念吃活雞的日子。

我想，經濟容易恢復，但對去年的恐懼，不應淡忘。

——刊二〇〇四年四月《明報月刊》「十方小品」專欄，作者署名小思。

證

❖ 二〇〇四年四月十四日《明報》要聞版：〈SARS 報告六月完成　醫局料具殺傷力〉，內文報道：「立法會 SARS 聆訊進入尾聲，將在六月完成的報告會揭曉『向誰問責』。據悉，醫院管理局內部評估，報告對醫管局『一定很 damaging（具破壞力）』，因為公眾認定管理層『推莊卸膊』，前線醫護則是『抗疫英雄』。據悉，醫管局評估，立會報告的批評焦點會是前衛生署長陳馮富珍追蹤源頭病人不力、衛福局長楊永強否認社區爆發、威爾斯醫院太遲關閉急症室、醫管局高層會議有十天無紀錄、瑪嘉烈醫院指定接收 SARS 病人，以及保護裝備不足。」

❖ 二〇〇四年七月八日《明報》港聞版：〈一句無肺炎爆發種禍根〉，內文報道：「SARS 爆發初期，楊永強一句「我哋香港無肺炎爆發，OK！」，至今仍是一眾 SARS 康復病患和死者家屬心裡的一條刺，怎樣也拔不掉，間接促成了他下台。」

❖ 二〇〇四年四月二十一日《明報》港聞版：〈橫額送祝福〉，內文報道：「港府因內地爆發禽流感，禁止輸入內地活雞數個月後，昨日終恢復入雞。三架載着六千隻首批進口內地活雞的貨車，裝飾佈置得喜氣洋洋，車頭飾以紅繡球，昨晨經文錦渡檢疫站駛往長沙灣臨時家禽批發市場。」

重構的困難

這幾個月，我可以說重操舊業，在圖書館找資料、看微縮膠卷。事件起因是：三個對灣仔舊日生活念念不忘甚至有點癡情的人，機緣巧合聚在一起，重構童年舊夢。

兩位建築師和我，談起菲林明道，簡直旁若無人，一如眾多灣仔舊街坊般，爭著把自己的記憶翻箱倒櫃，不讓人家插嘴。他們童年住在菲林明道，我唸的小學也在那條街上，而我的家就在附近，一切起居生活所見所需，可以說大都相同，於是談起來沒完沒了。但，我們不能滿足於只限「談」。我們想使這條小街重現色相。

這個夢，對我來說，多少年來，也真只是個夢罷了。文字描繪，我和許多人都嘗試過，可是總差了點甚麼似的。偶然在夢中，我仍會走在這街上，去同福雜貨店買麵豉茶瓜，去中發麵包公司買煙仔餅、肚臍餅，去東方小祇園買齋，去東方書局打書釘，去康健書店買拍紙簿……一覺醒來，卻煙消雲散，夢中如許清晰，我恨自己不懂繪畫，無法把記憶中的街景寫出來。

麥致祥、黃錦聯兩位建築師真好，他們有街道地區圖則，他們懂得繪畫，懂得利用電腦砌出整條街道面貌來，於是我們設法重構菲林明道的計劃有了眉目。

平時嘴裡說說十分容易，要落實起來就不能馬虎。找資料是重要一關，我們把時光限於上世紀三十至六十年代，但跨度太寬，許多材料兼顧不了，最後只好把重點放在五十年代……那是我們記憶最清楚的童年時代。

一條短短不足三百公尺的小街，有幾十幢唐樓。每幢樓的地舖，我們都記得店名，但還是不放心，要從文字紀錄中找到實據。果然證明我們的記憶力不差，沒有誤記。不過，也很奇怪，靠近高士打道的幾家店，我們都記不起來，原因不明。

文字資料找到，要繪圖就考工夫了。

原來的店舖是怎樣子的？要重構就得繪圖。事隔不過四十多年，整條街已面目全非，大家在腦子裡清清楚楚，但並不等於可以把它的色相「重現」。當年攝影是奢侈的玩意，拍照的實在也不會隨便浪費菲林，去拍些毫不起眼的街景。沒可依靠，如何是好？於是由建築師動筆把三個人合起來的記憶繪畫出來。曾經掀動眾多灣仔街坊，特別是小孩子興趣的「新亞怪魚酒家」那堵廣告牆畫，就是憑記憶繪畫而成的。在這裡必須介紹一下那堵牆，它屬於軒尼詩道地段，卻又遠在位於菲林明道的「新亞怪魚酒家」旁邊。牆上繪了一大幅彩色圖畫：五分之四是海底奇景，必備的是美人魚和潛水銅人，再有的是不同種類的怪魚。五分之一是海面，布滿船隻。每年歲末，酒家就會動工新繪一幅，等待畫工每天多加畫面，成為街坊小孩的主要娛樂。

試用電腦繪製第一張圖出來時，我心神俱動，那種夢境回真的感覺十分奇特。回生有證，恍恍惚惚遊走於熟悉小街小舖之間，我幾乎朦朧聽到市聲，嗅到店舖特有的氣味。一點沒誇張，感受就是如此。

離開日本京都三十年，最近去一趟，在寺町通的舊書店走過，站在老書店竹苞樓門前，我就有了夢境回真的感覺，但那是真實的。人家的店三十年沒變，門裡門外，連木趟門、木書架、木桌、木椅一切沒變，我輕輕推開門走進去，連舊書發散的香味，店後一盞暗沉電燈，都跟三十年前一樣。我還以為是夢，原來卻是真的。

艱難重構，歡喜一陣。不知道眾多灣仔老街坊有何感覺？

——刊二〇〇四年十月《明報月刊》「十方小品」專欄，作者署名小思。

❖ 參

去年，和兩位建築師合作，用記憶、土地文獻、年鑑、檔案、電腦技術等等，重構我們兒時最熟悉的一條街：菲林明道。……我們十足信心，可以把四、五十年代，在這街上的店舖，一一如數家珍。……帶着滿懷情愛翻開塵封書刊、文件。突然，發現我完全忘記了童年生活中，原來叫它做勳寧道。這一發現，彷彿從一個夢半醒又跌入另一個夢中。立刻翻查地圖及文獻，才知道當年官方只有英文街道的統一名稱，二十年代末開始填海，只稱灣仔新填地，一九三一年直到一九七五年，中文地圖、文字紀錄，都不統一，或稱勳寧道，或稱菲林明道，用括號註明「舊稱勳寧道」。對了，我怎會忘記了蔡愛禮醫生醫務所樓下的勳寧餐廳？它就在勳寧道二號，五十年代末才改為豪華餐廳。母親愛飲奶茶，嫌開在五號的太平館太貴，多去勳寧餐廳。

——小思〈忘了勳寧道〉，見二〇〇五年九月十五日《明報》副刊「一瞥心思」專欄。

二〇〇五年

造磚者言
——香港文學資料蒐集及整理報告（以二十年代至四十年代為例）

緒言

二十多年來從事香港文學研究，都屬我私人的、業餘的作業。為甚麼叫私人、業餘作業？那只因我幾乎全用了私人時間、個人資源來運作。除了退休前最後一兩個學期，我在中文大學中文系開過有關香港文學研究的課外，我沒在課堂上講過香港文學。多少年來影印資料、購買書刊舊書陳報，甚至連抄寫的資料卡片，我都用自資，沒用過公家一分錢。直到一九九八年，我和黃繼持先生、鄭樹森先生，才先後獲得香港中文大學人文學科研究所、香港藝術發展局的資助，出版了幾套資料參考書（注一）。

要把材料公開，一直是我們的心願，但這類書沒有銷路，很難出版。適逢有些資助，才能聘請人手，助我在檔案櫃中，整理浩瀚文件，選出可用的材料。又用三人業餘時間、精力，完成採料工程，並邀得出版社合作，塵封在我書房中的部分文案，才得見天日。

可是，得見天日的資料，實在太少。我深信經過篩選，必有遺漏——篇幅所限、三人觀點有異，別的研究者可能認為有用的，我們未必採用。面對還未面世，又是我辛苦尋覓，分針寸縫而成的卡片檔案，深藏在文件櫃中，未能方便他人，我實在萬分焦急。幸而在我退休前（注二），得到香港中文大學中文系及香港中文大學圖書館的全力支持，成立了「香港文學研究中心」及「香港文學特藏」（注三），讓我安心把所藏的書刊、檔案交出，經過圖書館努力不懈的支持，已把所捐的香港文學、文化書刊編號入藏，又將各檔案編排掃描上網。（注四）

可是，我還有些心願未了，必須細作交代。

二十多年所尋索的資料，是經過我獨力分針寸縫，抄卡分類入檔的。（我初進入香港文學研究範圍時，科技支援十分貧弱，影印機用藥水濕紙，為怕褪色，乾紙出現後，我只好把資料全部重印。還沒有電腦可用，我就以手工作業抄卡。）為了方便自己記憶，分類憑靠自己腦中藍圖，我很清楚它們的安排，是有條理，而又互有關連的。就是書刊分類上架，也排列妥當，我可以從層層疊疊書架中，隨手抽取要用的書。

我捐出了書冊資料，圖書館必須聘請研究助理人員幫忙。他們是第一批「外人」接觸那些資料，一看之下就產生了許多疑問，這才使我反省多年來所用方法，只有我自己明白，在許多人眼中，實在十分繁瑣蕪雜和凌亂。因此，有寫出整理報告的必要，以便日後的使用者，清楚我的處理手法，和許多值得注意的地方。更重要的是反映我在搜尋資料過程中有何得失。

……

結語

接近三十年的苦苦尋索，我對香港文學（或應該說文化或文藝）所知，好像比許多人多些，正因這「多些」，更使我常陷於徬徨中。我思索：究竟香港文學史該有一個怎樣的面貌？它的內涵應該有甚麼特質？如何處理它與別地不同的身世帶來的複雜性？早年滬省港澳的相連關係，哪種創作意向對香港影響最大？中國文化人在港的寫作，應否列入香港文學範圍？本土意識應否成為評鑑重點？究竟我所找到的材料有多少屬於真實的香港文學？……種種疑問，使我困惑，無法抽身，從一個較高的視角去審視香港文學。我愈來愈覺得自己只適宜做一個資料搜索者，先做好磚，作為建構香港文學史的材料，以待有心的研究者應用。我在搜尋過程中，盡力避免個人愛好傾向，遠離主觀評鑑標準介入，一切以俟來者。

香港中文大學圖書館於二〇〇五年六月把我蒐集的資料檔案上網公開啟用，完成了我多年來的心願：「資料公器，人人可用」，但自知那些材料雖然得來不易，卻仍多疏缺，希望後來人多加照拂，補其闕漏，讓館藏日豐。

二〇〇二年十一月初稿

二〇〇五年四月修訂

注一：獲香港中文大學人文學科研究所資助出版的作品資料集有：《香港散文選：一九四八—一九六九》（香港：香港中文大學人文學科研究所香港文化研究計劃，一九九七年，初版）；《香港新詩選：一九四八—一九六〇》（香港：香港中文大學人文學科研究所香港文化研究計劃，一九九八年，第一版）；《香港小說選：一九四八—一九六九》（香港：香港中文大學人文學科研究所香港文化研究計劃，一九九七年，初版）。獲香港藝術發展局資助出版的作品資料集：《早期香港新文學資料選：一九二七—一九四一》（香港：天地圖書有限公司，一九九八年）；《早期香港新文學作品選（一九二七—一九四一）》（香港：天地圖書有限公司，一九九八年）；《國共內戰時期香港本地與南來文人作品選：一九四五—一九四九》（香港：天地圖書有限公司，一九九九年）；《國共內戰時期香港文學資料選：一九四五—一九四九》（香港：天地圖書有限公司，一九九九年）；《香港新文學年表（一九五一—一九六九）》（香港：天地圖書有限公司，二〇〇〇年）。

注二：我於二〇〇二年八月退休，香港文學研究中心成立於二〇〇一年七月。

注三：香港文學特藏成立於二〇〇二年十二月。

注四：各報刊可見於香港中文大學圖書館之「香港文學資料庫」網，各檔案資料於二〇〇五年六月啟用。

——刊二〇〇五年六月一日《香港文學》總 246 期，這裡只選錄「緒言」和「結語」。

別有纏綿山水間

香港難有中國園林景致文化。

貝聿銘想盡辦法，利用極有限的空間，為香港中國銀行營造一個有層次流水的小園林。可是，人站在其中，總感受不到那種園林應具備的雅趣與悠閒。

十多年前，陳從周先生來港，不知誰帶他去看灣仔港灣道的小公園。我問他有甚麼評價，他老人家很含蓄，只笑了一笑說：「改名叫井底園較好。」也難為香港的建築師，在地狹如巷的小塊空地上，要生硬堆砌出山水亭台，真是談何容易？

記得陳從周先生的《詠十笏園》詩，其中兩句：「亭台雖小情無限，別有纏綿山水間。」道盡了江南園林的精髓。江南地小，設計師擅於向自然借景，引山水進入小園，與人居融為一體，輾轉迴廊，一步一景。

說到借景，我不能不提香港中文大學新亞書院校園裡那座「合一亭」。它是我在香港所見到的最佳庭園設計。既包涵要表現的哲理，又能借取自然，融情入景。建築師在山頂築一小水池，人站在適當角度，可見咫尺的池水與遙遠的吐露港海水緊貼如在同一水平線。抬望眼：水天反照，山水纏綿。人與旁植樹木，倒影池中，真個天人合一。

據說建築師陳惠基從不明錢穆老師的〈天人合一說〉所含理念，到逐步試探、測勘地形，一再修改圖則，都用盡心思。這一小角能情理兼容，足證地小無礙。

——刊二〇〇五年九月三十日《明報》副刊「一瞥心思」專欄。

回顧之後

二〇〇五年

歷年來，香港的文學雜誌是疏落而豐盛，文學雜誌歷史的紀錄是偶見而虛弱。

這話怎麼講？疏落而豐盛，並非矛盾。在記憶中，香港沒多幾種長壽的文學雜誌，每個年代也不見百花競艷的場面，只見疏落枝頭兩三朵。但憑著無數熱愛文學的個人或小社群的努力，斷斷續續，總見有誠意用心的文學雜誌出現。儘管有些刊物只出一兩期便告停刊，但由這種種不同風格的雜誌所構成的圖像，歷年的積聚，卻又該稱得上豐盛。香港一向忽視歷史資料保存，人與事，大都匆匆而過。正史不見認真書寫過，更不必提文藝活動的紀錄了。這些曾經出現的文學雜誌，畢竟構成過某一個時期的文化場域，刊載過具影響力、令讀者念念難忘的作品。可惜。圖書館沒館藏，後來讀者根本無從接觸，甚至從不知道它們曾經存在過。偶然獲得知情者三言兩語描繪幾句，作為回顧，算是讓它們向不知情者留下虛弱的身影。

知情者所寫的紀錄，刊在另一些匆匆而過的文學雜誌裡。過了些日子，這些文字又默默地在人的記憶中隱沒，回顧之後，再等待著另一次回顧。

種種回顧，還需要許多因素才可以出現，包括知情者尚在，研究者手邊有書，雜誌編輯樂意組稿等等，如要完成具備規模的紀錄，這真談何容易！

七十年代中葉，已有人意識到保存文學雜誌紀錄的重要。一九七五年香港大學文社編印的《香港文學四十年文學史學習班資料彙編》中，就收集了部分文學雜誌的資料。八十年代開始，回顧更熱鬧，例如一九八三年九月《文藝季刊》七期的〈筆談會——香港文藝期刊在文壇扮演的角色〉、一九八六年一月《香港文學》十三期的〈香港文學叢談——香港文學的過去與現在〉。我和劉以鬯先生曾經計劃把這兩輯文章合起來，出版一書，方便保存閱讀，連作者的授權書都有了，到後來，卻不知甚麼原因——可能因我們都很忙，出版就告吹了。以後，還有不斷大大小小的回顧文輯，匆匆過去。

由於年光易逝，知情者愈來愈少，再加上被人記起的文學雜誌也漸行漸遠，如果只靠偶一回顧，這真不是辦法。

蒐集回憶材料，整理原件資料，編造目錄索引，利用電子科技，把文學雜誌全部上網，特別要搜尋曾存在卻少人提及的刊本，足可避免紀錄偏差。

這項工程要做好，實在十分艱鉅。製作資金巨大，還可以盡人事解決，但搜羅散佚的文學雜誌，就真靠機緣了。香港一向既無保存文獻習慣，又貴遠賤近，加上居住條件所限，遇上搬遷，首先扔掉的必是「百無一用」的書刊。不珍視的後果，令這類材料損失極多。不過，我深信在某些藏書家或知情者手中，應該還存或多或少的珍本。如果有學術機構，資助一可以信託的工作小組，委以整理重任，讓該組設定藍圖，列出刊名，廣向各界商借所藏書刊（是借出，不是捐出，電子掃描後即可歸還），以五年或六年為期，便可布諸網上應用。

我也理解藏書人的心態：自藏善本，獨家擁有，偶爾拈出示人，沾沾自喜，那是另類光榮與快樂。公開了大家可用，就會失去此種快樂。可是，深想一層，為建構香港文學紀錄，藏書家自當盡力支持，這對未來書寫香港文學史的貢獻也大。目前各家各館秘藏，有等如無，實在可惜。回顧之後，是不是應有該圓此夢的盼望？

——刊二〇〇五年十月《文學世紀》總55期，作者署名小思。是期為「香港文學雜誌回顧專輯」，本文為卷首語。

收藏嗜好

我有兩種嗜好，分別承傳自父親母親。

父親好收藏，收得很雜，記憶中，家裡許多他自製的木箱，一箱箱疊起來，所藏的有銀幣、紙幣、郵票、小型舊銅器、陶瓷花瓶。看來他有點信手拈來，不太專一。也許我還是個小孩子，他沒對我說甚麼有關知識，但一年兩三次的打掃、執拾工作，必由我負責。母親好剪報，她只剪存時事新聞和中醫中藥資料。每天看過報紙，要剪貼的就用鉛筆做個記號，留待星期天，我來細做，按日期先後藏好，只有中醫中藥部分，是她親自處理。

不知不覺間，我也養成了這兩種習慣。

我的收藏也很雜，都是日常生活接觸得到，不必特別用錢去買的東西。收得最多是車票，電車巴士車票都有四個數目字，初中時我已收藏了許多四字相同的號碼、兩號兩號相連等等精品，也藏戲票、父親廢棄的馬票。可惜居處狹窄，又連年遷徙，搬家就得忍痛捨棄。不過，既已成習慣，便屢棄屢藏。到今天，我仍有藏物的「壞」習慣，前些年，收火柴盒，由於禁煙，打火機方便，火柴不再流行了，我又整批送了給朋友。現在我正蒐集本地食肆、酒店的名片和牙籤袋。這最容易得到，又真多姿多采，更不佔地方。

我的收藏態度並不認真，跟父親一樣，玩玩而已，沒有研究，故成不了收藏家。母親的剪報習慣，我也一直承傳下來。小學中學，我的時事剪報很得老師稱讚。不過，仍因佔地方太多，總是儲上幾年，就無奈扔掉。近三十年，我訂定了專業主題，全是香港文化、文學。有了專題，分類更細，找起來十分容易，但佔地也愈來愈多。幸而在我退休後，它們得到中文大學圖書館收容，才不致浪費。剪報，對我來說，最初只屬收藏嗜好，到後來，變成專業工作，已經不能叫做嗜好了。

在報上常見訪問各類物品的收藏家，我很敬佩他們的堅持。由於堅持，藏品積存豐富，繼而求知研究，往往因此成為該項藏品的專家。他們對某一種東西，不離不棄，認真地從中取樂，更會公諸同好，例如有人辦了間古董電風扇博物館，小小規模，仍見其情之切。最近我參觀了一位微型品收藏家的藏品，那精微巧妙，品種之多，造型非凡，真令我大開眼界。看她沉醉在每一藏品的神情、精研的態度，我知道嗜好已與她生命混為一體了。

從前我常鼓勵學生該養成一些收藏嗜好，只要不沉迷，總有「養志」的好處。可是近年所見，年輕一輩，瘋狂花父母的錢去買藏品，竟到了不擇手段程度。幾年前，我在青年留連的精品商舖外，看見大群小孩在炒賣閃卡，一個小學生對我說：「沒錢賺，藏來作甚？」不禁倒抽一口冷氣，原來他們的嗜好是賺錢，那還有何話說？

——分上、下兩篇刊二〇〇五年十月二十七及二十八日《明報》副刊「一瞥心思」專欄。

❖ 證

這間堪稱全港最小型的專屬博物館位於筲箕灣，獨沽一味展出電風扇。館主是喜愛機械與懷舊物品的收藏家，對電風扇尤其鍾情，因此獨資購入村屋改裝成博物館，向公眾展示超過四百件的珍藏。

——房協「長者通」網站：「趣遊另類博物館」，見：http://hkhselderly.com/tc/travel/scenic/329

舊學新用

我念大學時，以九張中國古典語言、文學、歷史卷畢業，可是，往後的教學與專研，卻轉到現代文學方向去。嚴格說來，是「背叛」了古典中國文學，對現代文學，則屬半途出家。以前，每念及此，總感不安。後來，發現這古典中文嚴格訓練，對我的教研、通識、閱讀、文藝欣賞，都有極大幫助。

古典詩詞中，描述天文地理歷史的很多，使我跟廖慶齊先生學天文時，興味大增。旅遊內地、參觀博物館，訪古尋幽、欣賞戲曲，都可信手拈來許多配合知識，讓欣賞內容豐富了。

教學方面，曾在「現代小說中的女性」課中，選了馮沅君小說〈隔絕〉，講一對熱戀男女，怎樣面對封建權威的悲劇。備課時，卻給男女主角的名字害得夠慘，也差點錯過了作者點題的苦心。原來這對主角，女的叫「纗華」，可是那「纗」字，作者用了連重要字典辭典都沒收入的一個古字（所以在這裡也無法寫出），教學連字都不懂讀不識解，這關怎樣過？幾經辛苦，才在《玉篇》中，查到那是個異體字，是「繫囊之繩」，被困被綁之意甚明。至於男主角叫「士軫」，「軫」字就較易明白含意了，「車後橫木，痛也，隱也」，男女痛苦早已藏於名字之中。

舊學給我打了極深厚的文化根基，也是現今通識的經緯組件，我感謝那些古典文學的培養，也求好好用於新形式中。

——刊二〇〇五年十二月一日《明報》副刊「一瞥心思」專欄。

二〇〇五年

竹久夢二

一九二一年，二十四歲的豐子愷在日本邂逅著名畫家竹久夢二，深受他早年畫法感動，稱他「構圖是西洋的，其畫趣是東洋的。其形體是西洋的，其筆法是東洋的。自來綜合東西洋畫法，無如夢二先生之調和者。他還有一點更大的特色，是畫中詩趣的豐富」。回國後，仔細琢磨，遂奠定日後的子愷漫畫風格，特別在〈人間相〉及〈古詩今畫〉兩輯中，盡得中西融合及詩趣的神髓。

可是，在日本，竹久夢二卻以低頭不語、幽怨無倫的美人畫，聞名流行至今。川端康成筆下，夢二原是個頹廢派畫家，頹唐早衰，眼睛卻十分年輕。畫中人正是他的年輕戀人，據川端康成憶述，有一天到夢二家去，有個婦女坐在鏡前，姿態簡直跟夢二的畫中人一模一樣。她舉手投足，宛如從畫中跳出來似的，使川端康成驚愕得不相信自己的眼睛。

因為豐子愷，我也學著去看夢二的畫。

一九七三年，在東京、京都的書店，幾經搜尋，才找到夢二的畫冊，書價高昂，窮學生忍痛傾囊，購得《出帆》、《行人の畫帖》。一冊關山阻隔輾轉遞送，送給正在文革中受難的豐先生，一冊自藏還捨不得送出。

今秋到金澤，竹久夢二展剛完，趕不上看，只見小店出售各種複印本、信箋、明信片、原子筆等等。有如此多種用品出現，足以證明夢二畫作甚受歡迎。日本善於汲取消費者的錢，我忍住手，仍買了不少。

買了兩條印上美女圖的手帕，正掙扎要不要用。

——刊二〇〇五年十二月九日《明報》副刊「一瞥心思」專欄。

斯人去矣

正讀着卞之琳的〈無題〉，消息傳來，您已去了！

淒然縈繞心間，想起那年夏季，第一次拜訪您。

北京的炎夏，坐在您的小小屋子裡——既是客廳，又是書房，空間狹小得很。您穿了件白色文化汗衫，搖着蒲扇，讓出了嘎嘎作響的小風扇向我吹。

記得沒有多少客套話，您很忙，我不該佔用您的寶貴時間。很快我把來意說明：代表香港一群文友邀請您到香港來。那時候，雖云開放，但是不大不小的「運動」仍微波蕩漾，您也正在其中浮沉。一個陌生來客，我實在不敢亂說話，可是您卻滔滔地告訴我您的工作。您正在寫一篇報告文學，關於一家大飯店負責人的冤案，比起《人妖之間》輕量得多，暫不寫太大的案子，因為已惹了一些麻煩。您指着靠在牆邊堆得高高一袋袋淺褐色公文紙袋，說都是全國各地含冤受屈的百姓投寄給您的信件，只求代為申訴，得個說法。我很感動，情急地說：「您真是包青天啊。」您臉色一沉：「中國百姓不該靠包青天，出多少個包青天才夠？應該有法。」到今天，我仍清楚記住您說這話的臉容。

終於您到香港來了，那實在不容易。演講會中，讓香港聽眾聽到您堅定的聲音。

不久，您離開您忠誠所愛的土地，漂泊異地了。

「百轉千迴都不跟你講，

水有愁，

水自哀，

水願意載你。

你的船呢？

船呢？」

斯人去矣，關山路遠，海浪無涯，您竟回不去。

——刊二〇〇五年十二月十五日《明報》副刊「一瞥心思」專欄。

證

❖ 二〇〇五年十二月六日《明報》中國要聞版：〈劉賓雁美國病逝〉，內文報道：「流亡海外多年的中國著名作家劉賓雁，經歷多年與癌症抗爭，近日因癌細胞嚴重擴散緊急送醫院，於昨日中午在美國逝世，享年八十歲。」

故年隨夜盡

乙酉將盡，忽然想起小時候，守歲習慣是怎樣養成的。除夕，我最忙碌。

母親恪遵舊俗，子時在家拜神上香。在十一點鐘前，有許多準備工作要做，其中打掃全屋的責任，必由我去承擔，因為大年初一不能掃地，子時前得用掃帚由屋外掃到屋內，清潔一番。神枱上的檀香爐，也由我來砌好燃點——我八九歲就擅長砌點檀香爐，現在恐怕沒有多少人懂得這項手藝工序了。母親常說，守歲不是迷信，是人對天地、時序變化的一種禮儀。上香的時候，仔細思量快將過去的一年裡，自己的一切行為，上達天聽，送舊迎新，以求福祐。壓歲錢放在枕下，不能拆，也表示歲有餘錢，來年不會匱乏。

除夕，父親卻心不在家。由於年宵市場靠近我家，自攤檔搭棚蓋頂之日開始，他就天天去巡看，像他有份兒似的。到了除夕，他更是愈夜愈興奮，幾乎隔一兩個鐘頭就去一趟，每次都把我帶去。那時候，乾貨攤像露市廟會，有許多賣古董舊物的，父親蹲在攤前，東檢西摸，戀戀不捨。他說這與平日逛慣的嚤囉街擺賣的不同，有些破落戶會拿些好東西出來求售，每年他總會買得一兩件小玩意。

踏進子時，母親虔敬上香，香煙裊裊，燈燭燦然，就是一年將盡了。父親還會再去逛年宵，母親永遠是靜靜的坐在神枱前，我也守在她身邊，在外邊爆竹聲喧中，送走故年。

——刊二〇〇六年一月二十七日《明報》副刊「一瞥心思」專欄。

唐英偉的木刻

在舊書拍賣網中，看到《唐英偉木刻集》，拍價高出一千元，真令我心頭痕癢難當。

此書是一九四一年八月由商務印書館發行，列刊了唐氏四月在香港寫的序言，據序文說六十多幅木刻是由「從廣州帶出來僅存的一小部份作品編集」而成，其中一幅彩圖是香港風景之一，看似停泊了軍艦的太古船塢。還有一頁刊了許地山題寫：「刻徹鐫偉　宣洩天心」八字，這些材料，實在十分珍貴。

唐英偉雖是在內地隨木刻家李樺學藝，也在大陸出版過《木刻界》及《中國現代木刻史》，但他應該是香港重要的木刻家及木刻理論家。抗戰期間，他在香港大力推動木刻活動。一九四〇年「全國木刻協會香港分會」成立，他是常務理事，非常活躍，例如辦了「魯迅紀念木刻展覽會」、「香港第一回巡迴木刻展覽會」，更主編《國民日報》的「木刻與詩」特刊（後與詩分家，獨立成「木刻」版）。直到抗戰勝利，他又在《星島日報》編「漫畫與木刻」版。後來就不大見到他的活動紀錄了，據說當了公務員，現仍在香港。

列舉上述一些他的資料，只因有感於這麼重要的香港木刻家，卻未見研究者重視，實在可惜。有關他的大部分材料，我已整理存於香港中文大學圖書館的香港文學特藏室，就只待有心人了。

——刊二〇〇六年二月三日《明報》副刊「一瞥心思」專欄。

參

❖ 唐英偉先生深受魯迅影響，從事木刻藝術，終身不忘。抗日期間，他來到香港，就展開推動木刻的工作。……一九四六年他重回香港，據說當了公務員。……梅創基、吳興文一九九五年三月去拜訪他，已過八十高齡的他，正仍為香港回歸作了超過百米的香港風景水墨畫，以示他的心意。不知道他們有沒有拍下照片作紀錄。唐先生已歸道山，如今這些作品下落如何，卻不見有人交代。

——小思〈憑將鐵筆動星辰〉，見二〇一〇年九月二十五日《明報》副刊「一瞥心思」專欄

證

❖ 他（唐英偉）的畫風，大部分和中國同代畫家大同小異。然而，木刻或雕塑中，後期部分傾向於立體主義，這也許是香港最早的前衛性作家或作品。國內外的版畫史學者，在苦苦追蹤唐英偉下落，而眼前香港又如何呢？說來非常之慚愧，連多年致力藝術的我都自身難保，更何況是一位謝世的前輩。

——梅創基〈前輩版畫家唐英偉〉，見二〇〇二年四月十八日《文匯報》副刊。

豐先生歸故里

我們老一輩中國人，總盼望落葉歸根。

豐子愷先生三十多歲就回到家鄉石門灣梅紗弄蓋建「緣緣堂」，以作長居之所。可惜遭逢民族大不幸，日本侵華炮火燬了無數中國人的家園美夢，豐先生跟許多同胞一樣，飄泊在外大半生，直到七十七歲，逝世前幾個月，才回去過一趟。

豐先生一九七五年九月十五日病逝上海，骨灰一直安放在「上海龍華烈士陵園」。一九八〇年八月，我去拜祭，只見室內一字排列七層玻璃櫃，木框呈土黃色，反映著漆油亮光，令人很不舒服。玻璃櫃的每層橫長約三呎，深不過一呎，卻安放了兩個骨灰木盒，盒前擺著照片，左鄰右里都如此，顯得十分侷促。我只顧望著豐先生的骨盒流淚，也忘了與他為鄰的是誰。這種格局，實在難令先人安頓。每念及此，我心中不安，甚麼烈士陵園，想非豐先生希冀的安身之所。但也不敢說出來，因為恐怕能如此安放，乃屬「光榮」。

終於，好消息傳來，二〇〇六年三月十一日，豐家三代一行八人，捧著豐先生的骨灰盒，回到石門灣，讓豐先生從此在家鄉入土為安。

江南的好山好水迎回曾以筆墨繪畫過她們顏容的畫家，而熱愛自然，厚念故鄉的豐子愷先生，能於三十年後，擺脫不見天日的困境，重歸故里，日夜與山風水聲為伴，我深深為豐先生慶幸，在此謹獻上心香一瓣，以表心意。

——刊二〇〇六年四月二十七日《明報》副刊「一瞥心思」專欄。

遙想牆內

今年三月十九日，香港中區的域多利監獄開放日，朋友都以為我一定會進去參觀，可是我沒有。

自從知道詩人戴望舒曾困在這監獄裡，熬過日本人的灌水、吊飛機酷刑，寫出〈我用殘損的手掌〉後，每逢路過奧卑利街，抬頭望著那堵奇異石牆，我總遙想牆內的小小牢房，究竟是甚麼模樣。

二十多年來，常對學生談起戴望舒，必然提及這牢房。裡面是否仍像〈獄中題壁〉描繪那麼暗黑潮濕？舉辦「香港文學散步」活動時，有人提議申請進去拍攝，但是手續繁複，沒做成，只好在牆外走過。

中區警署連同監獄，要保留下來，許多方案提出來，只要不拆，各種用途，都有人想到了。通過傳媒訪問，專訪書冊出版，讓我看到光亮整齊的監倉。然後，五萬市民熱熱鬧鬧進去拍照，何等豐富聯想力，也無法想像黑牢哀歌該怎樣唱。

如果，真的只是天真的說如果，政府肯保留圍牆內那些建築物，不賣給地產發展商，也不搞另一個蘭桂坊、蘇豪區，全讓出來，闢作文學藝術活動場所，畫家、雕刻家有工作室、展覽廳、有讀書會、有實驗小劇場、有詩朗誦室、有主題書店（設個舊書店、舊物店，如何？）、有咖啡室、有品茶館……文藝愛好者聚腳，形成一種氣氛。

試想想，在戴望舒蹲過的牢房裡，朗誦著〈等待〉，感覺會多深厚？

中區半山，成了文藝凝聚點，如果是，多好。

——刊二〇〇六年五月十八日《明報》副刊「一瞥心思」專欄。

❖ **證**

中區警署建築群是香港法定古蹟，經過活化工程後定名為「大館」（按：二〇一八年五月正式開幕），提供一系列歷史文物、當代藝術展覽，表演及文娛活動。除了兩座全新的建築物，原有的十六座古蹟及多個戶外空間均被修復活化，包括前中區警署、前中央裁判司署及域多利監獄。域多利監獄建於一八四一年，是香港開埠初期最先以耐久物料建造的建築物。監獄曾在二次大戰時遭轟炸並嚴重損毀；修復後，在一九四六至二〇〇五年間重開作為監獄，至二〇〇六年正式關閉。建築物以花崗石及紅磚石建造，至今依然保留著維多利亞式的建築風格。

——「大館」，見香港旅遊發展局網頁：http://www.discoverhongkong.com

為詩人看手相

我要講一則大概沒有人提及過的詩人故事。

遠在許多四十年代詩人被「埋沒」的時代，在香港愛現代詩的青少年之間，傳抄著一本詩集：《手掌集》，並在聚首時細細吟誦。我們都能背誦〈藍馬店〉，我們都惦念著王辛笛。

等到八十年代初，內地改革開放後，香港中文大學中文系主辦了第一次中國現代文學研討會，訂定邀請名單中就有詩人王辛笛先生。當時正在中文系任教的余光中先生提交了一篇〈為詩人看手相〉的論文，討論對象就是王先生，在台灣還未解嚴前，這恐怕是相當大膽的突破，事前，主辦單位的負責人確實有點擔心。

一九八一年十二月二十二日晚上，中文系設宴招待參加研討會的作家學者。大會安排了柯靈、余光中、王辛笛三位先生同席。當晚，只有我一人帶備照相機，為的是想捕捉珍貴的歷史時刻。席間，我走到王余兩先生面前說：「可以拍張照嗎？」我作好心理準備，會被拒絕。出乎意料之外，他們十分爽快答應了，更意外的是：余光中主動提出，要「設計」一個替王辛笛看手相的動作，左手輕托王的右掌，右手食指近指王的手掌，真是表情十足。快門一按，就這樣，我拍下了一幀兩岸詩人初接觸的難得剎那影像。

這幀照片，我一直沒有公開，因為拍過照後，余先生對我說：「這照片不要見報。」答應了我就守諾言。

事隔二十多年，情勢已大異，照片也有點發黃了。

——刊二〇〇六年六月九日《明報》副刊「一瞥心思」專欄。

證

❖ 余光中給辛笛看掌，攝自二〇一六年九月香港中文大學圖書館「曲水回眸：小思眼中的香港」展覽。

理想的真世界
——新亞教曉我的

回想新亞四年，從各老師言行學到，而自己一生受益的，點滴積儲，真難一一計算。唐君毅老師教曉我的，歷來已經說了很多，他那種悲天憫人、全身投入的哲者而帶詩化的情操，使我一生服膺那任重道遠的理念。最近有人問起，錢穆老師對我有甚麼影響，我一時間無從回答。正因此問，我不禁從頭細想。

我進新亞書院的時候，錢先生已經不開課，我們只能在月會聽到他的演講，在不同雜誌上讀他的文章。校歌、桂林街創校艱辛往事，也常在月會中聆聽到。農圃道校園內，偶見錢先生灰綢長袍，飄然而過。我受到的是怎樣的精神薰陶呢？現在回想起來，恐怕是瀰漫在校園中不易具體描繪的師生精神、老師心法，都在言行間滲入心懷。其中以錢先生在一九六四年我們的畢業典禮中所講的話，最深深植根於我思想裡，影響了我許多行為而不自知。

一九六四年，是香港中文大學成立的後一年，當時我雖然已是大四學生，也正是中文大學第一屆畢業生，但幾年來，對甚麼富爾敦計劃、甚麼新亞崇基聯合合併等大事，卻蒙昧無知。只記得在一次月會中，錢先生說女兒長大了，還是要嫁出去，唐先生在台下抹眼淚。直到畢業典禮中，錢先生在台上說了一番表面淡然，內裡卻千軍萬馬的話，才猛然知道錢先生在中文大學成立之年，決定辭去校長職位，原來事態嚴重。那篇明志的講詞，令我至今念念不忘。

錢先生講詞中，有兩個重點，其中他說：「人生有兩個世界，一是現實的俗世界，一是理想的真世界。此兩世界該同等重視。我們該在此現實俗世界中，建立起一個理想的真世界。我們都是現世界中之俗人，但亦須同時成為一理想世界中之真人。」錢先生沒有深入解釋理想世界的真人該如何如何，但跟著舉自己所懼為例，就說明了一切。他說身當校長，「處得久了，得意忘形，真認為我高出人上，那就非流為小人之歸不可，最多也僅是一俗人，和我理想中所要做的真人並不同」。他認為，人不在意世間虛名，該在俗世事業中，超拔出一「凡屬人類，全是平等」的理想真世界來。其二是他詳舉了虛雲和尚的行事：「在他已躋七十八高齡之後，他每每到了一處，蓽路藍縷，創新一寺。但到此寺興建完成，他卻翩然離去了。如此一處又一處，經他手，不知興建了幾多寺。我在此一節上，十分欣賞他。至少他具有一種為而不有的精神。」他引此例，也說明了理想真世界中的真人行徑：為而不有，其實也可以說是「捨」的氣概。俗世太多戀戀不捨的牽繫，能「捨」所愛，那非大徹大悟者不能。

眼看世道愈來愈亂，背離正道、似是而非的聲響，變成最強音。我這一說，就會有人批評：甚麼是正道？一家之言，不夠自由民主。黑白是非，誰定標準？年輕一輩，也聽信所言，深以為行為準則。有心人觸目驚心，卻又一時難辯。現實俗世界已紛亂無比，理想真世界愈行愈遠，我難免驚惶軟弱。近日重讀《新亞學規》，恍然明白老師所設想，是為人類長遠幸福計。裡面所列，看似凌空高調，深思則在俗世界之外，理想真世界的應有條件。細看條目，完全適合今天的社會需要。例如：「於博通的知識上再就自己才性所近作專門之進修。你須先求為一通人，再求成為一專家。」「課程學分是死的、分裂的，師長人格是活的、完整的。你應該轉移自己目光，不要儘注意一門門的課程，應該先注意一個個師長。」「健全的生活應該包括勞作的興趣與藝術的修養。」這就是「人之尊、心之靈，廣大出胸襟」。

幾十年前承教於新亞，原來教曉了我許多大道理。師道精神，雖不能至，心自嚮往。新亞精神，不是新亞獨有，是屬於人類社會的。

——刊二〇〇六年十二月《新亞生活》「畢業特刊」，作者署名小思；另見十月七日《明報周刊》1978 期。

❖ 參

那天，《情常在》攝制組跟隨著她開開心心來到昔日的新亞書院（現新亞中學），那裡的一草一木，對她來說都有名堂都是情。她熟悉地走向新亞圓亭，選了其中的一張石凳坐下，靜靜地凝望，對面一排排教室的窗戶，教室與石凳之間，有一條小徑，不長。「大學時，我愛坐在這裡，看老師們匆匆經過這條小徑，上課下課，偶然擦身而過，彼此眼神會接觸，不經意地相互點點頭，那種師生的關係……是從人的感覺，傳到人的內心……有錢穆先生、牟宗三先生、唐君毅先生……」唸唸有詞，念念不忘，亮麗有情的眼神，叫攝影師的鏡頭捨不得離開她臉部表情。一張臉，淚水滿面，難以相信，她是小思。甚麼事令她如斯哀傷？「我老了，我老了。老師們的盼望，我至今仍未能做到。但……我老了。我到現在才真正體會到，我的老師們，走了一條很艱辛難行的路。」

——單慧珠〈難行要行的路〉，見二〇〇三年三月二十日《大公報》D2。單慧珠為《情常在之盧瑋鑾》紀錄片編導，影片二〇〇二年底在香港無綫電視台播出。

渡輪的位置

我靜默地站在遙遠處，望著那座線條簡約的鐘樓，扁平的渡頭，思路凌亂縱橫，時空變異，我看見穿唐裝衫褲的父親從塔形的天星碼頭走出來——是第二代碼頭嗎？竟然有點第四代的模樣。海傍距離電車路那麼近，我下了電車，走幾步就可站在干諾道的大廈行人道上，等待父親下班從九龍渡海而來，那必然是星期六的中午。

忘記過了多少日子，父親也去世好多十年，我會常去天星碼頭渡海，對岸有座海運大廈、星光行，是星期天消磨時光的好去處。我還是下了電車，但得走一段長路才到達渡輪。巴西咖啡座有朋友等著談文說藝，大除夕小型石英跳字鐘前，我們待時光消逝，送走舊年。

沒窗口的文化中心落成後，我早已忘了原來要走多少路才由電車路走到碼頭，習慣了就不再計算。行人隧道多了幾個奏樂的流浪漢，報攤愈擺愈大，我匆匆走過，不留痕跡，對人們說的第三代碼頭，沒有甚麼感覺。大笨鐘敲響，有了聲音，哦！他們遲到三十分鐘。鐘聲，果然給人警醒。老鐘要隨建築物拆掉，會在哪裡藏好？

我走呀走，走過免費的卡口，微弱響聲顯示一個超過六十歲的人正在經過。站在遙遠處，靜默地聽著鐘聲，一代又過去了。

——刊二〇〇六年十一月二十五日《明報》副刊「一瞥心思」專欄。

❖ 證

二〇〇六年十二月十三日《明報》港聞版：〈阻拆鐘樓　示威者工人爆衝突〉，內文報道：「一九五七年落成的天星碼頭明年就到五十歲，雖然有市民奮力保護，但亦逃不過被清拆的命運。港府昨午三時零九分派出地盤工人拆除鐘樓鐘面，有示威者為保鐘樓，爬上碼頭靜坐抗議，其間與工人發生衝突，警方一度要派員維持秩序，示威者至今凌晨截稿時仍在地盤內靜坐請願。」

改卷憶往

據說考試局要訂定罰則，針對的不是學生，而是改卷老師，真叫人訝異。延遲交分多少天扣酬金多少，計錯分扣酬金百分之幾，遺失試卷不錄用幾年……一切錯失，均非教師應犯，關係考生一生的改卷員，更非處罰便可了事。

初任中學教師，幾乎無可避免要當中學會考閱卷員，回想起來，真是步步為營，膽戰心驚。原有教學工作以外，還得在極短時限內完成批改、計分、記分，與配對閱卷員互相評核等程序，軍令如山，誰敢延誤？人家成績關天，誰敢出錯？沒法子想像今天竟有為人師者會如斯不濟。

每年往考試局取卷，便千斤擔子兩肩挑，寢食難安。誰料，我還有一次「非常」遭遇。

一九七二年六月，我如往常一般取了重甸甸中文會考試卷回家，正埋頭趕工，沒幾天，就遇上「六一八大水災」，家居附近的旭和大廈整座塌下，我們要連夜遷走以策安全。臨急臨忙，你猜我帶了甚麼隨身？除了兩套上課穿的衣服、教學用書外，我用飯桌大塑膠布包紮好所有試卷，以防水濕，再裹以布被單，以便揹起，就狼狽離家。「隻身逃難」，竟以學生考卷相隨，大概也算患難與共了。

現在的閱卷員在甚麼情況下會遺失學生考試卷，我實在想不通！

——刊二〇〇六年十二月二十四日《明報》副刊「一瞥心思」專欄。

❖ **證**

二〇〇五年八月十日《香港經濟日報》港聞版：〈三宗失卷　難保不再發生〉，內文報道：「考評局近年在公開試中連番出現失誤事件，今年亦不例外；該局承認，今年共有三宗遺失試卷的個案，涉及三個科目及六張答卷，有一名考生最終選擇重考；考評局強調，不能保證不再發生失卷，但正研究有效措施減少失誤。」

關於「香港文學專題：文學與影像比讀」課程

◇任香港中文大學香港文學研究中心顧問

在香港中文大學中文系任教二十多年，開設的是中國現代文學、創作兩科目。儘管我也用了相當多時間研究香港文學，可卻從沒在系裡開過「香港文學」課。理由只有一個：材料欠缺，研究尚未成熟，還有許多疑問無法解決。

等到二〇〇〇年，即臨近退休前兩年，我感到好像在教學上欠了一小塊，於是決定開設兩門新科：「香港文學散步」及「香港文學專題：文學與影像比讀」。這兩門課，在一貫重視傳統語文、文學、文獻教學與研究的中文系裡，實在有點「不像樣」。二〇〇一年開「香港文學散步」一科，除了依據「遠方傾慕——雙城情結」、「血脈相連——南來君臨」、「本土身世——矇矓尋覓」等大項，細讀作品外，還帶同學外出實地考察，增添現場感受，又到電影資料館觀看有關時代的電影，這種教學方式，在講究傳統的中文系從未用過。二〇〇二年開「香港文學專題」，更全取已有影像成品的文學作品，作為研讀對象，這種近似通識教育、文化研究的角度，恐怕也不是傳統中文系教學所選取的。

現在事過境遷，而為「香港文學專題」課程而設的演講紀錄要出版了，我特借此機緣，檢視課程中所得經驗。

我在中文系開設此科，目的在強調對香港現代文學精讀與細察，糾正一般人粗疏的閱讀及觀看習慣，刺激他們「發現問題」，並對問題加以思考詮釋。另一方面，希望能使看慣影像的人，回到文字的細心閱讀，又使看慣文字的人，探索已經無處不在的影像與文字的關係，使他們遊走於二者完全不同的媒介之間，不易向一邊傾斜。於發現問題後，尋根追源，再加解讀詮釋，便有所得的喜悅。

當初沒預計選修這科的人數超過百人，我本來的設計是全班都要通讀設定的作品，包括文字本與電影、電視版本。為了使每位同學都能細讀精看，我把全班分成不同導修小組，選定作品研讀。事前他們精讀作品，細觀影像，然後來跟我討論，再設定可討論的題目，加上各項參考資料，分派給同學，以備全班研討。在研討過程中，文學技巧，配以理論，當然是重點。可是出乎我意料之外，卻是部分同學的「過分」探究入微。我說的「過分」，不含貶意，可能我一向給學生的印象，是極度精細，他們也學著朝這方面用力。例如研讀劉以鬯〈對倒〉的一組，就對長篇、短篇兩個文字本與電視版本詳加比對，甚至細如二者所採用的歌曲有何含意，也在討論之列。又如研讀李碧華的《霸王別姬》的一組，既要比較一九八五年的簡略版與一九九二年的修訂版，又要比較羅啟銳的電視版與陳凱歌的電影版，十分吃力地細意找出異同的原因。其他各組都必然尋出一些文字或影像、鏡頭微妙運用、調度的不同，講出細節與變化。許多地方，連我都沒注意。這樣子的閱讀，不知道會不會令他們視野狹窄，或過分解讀。由於我沒再開課的機會，故無法求證。

在他們全數研讀過後，我相信許多問題還需找尋解答。請與問題有關人士來解說或交流，效果一定更理想。於是，我安排了一系列講座，邀請了演者、作者、導演者到學校來，環繞研讀的作品，給同學演講及解答問題。這種演者作者導演者與作品間的互通解析，對同學的學習過程來說，既解惑，也深化，在講堂上，是難得一見的互動與撞擊。劉以鬯先生認為最好跟同學面談而非演講，故形式有些不同。

張國榮先生、伍淑賢小姐、許鞍華小姐、劉以鬯先生，在演講或回答同學問題時，都樂意坦率表達自己的看法，這種回應與交流，對學生來說，實在十分寶貴。他們的出席，讓我們有如此的學習機會，令整個課程獲得圓滿結果，而他們也答允把演講紀錄的文字版本讓我們出版，在此，我誠意一一向他們道謝。

盧瑋鑾

二〇〇二年十二月八日初稿

二〇〇七年一月三十日修訂

附記

正當我開始請同學整理各講者的講稿的當兒，噩耗傳來，張國榮先生突然去世。這次演講紀錄，成為他的絕唱。校稿時細味他的講話，當日他的一言一動，宛然在耳在目。沒想到，他的一念間，身軀一躍，遂寫下不可磨滅的悲情。香港損失了一位認真、出色的演藝家，校畢全稿，我不禁掩卷淒然。

——盧瑋鑾、熊志琴主編《文學與影像比讀》前言，香港：三聯書店（香港）有限公司，二〇〇七年。

❖ 證

小思在香港中文大學教學二十餘年，一直都是「賣座率」極高的老師，八十年代中大中文系曾經嘗試推行先到先得修課制，一時間風聲鶴唳，結果人人瞓街輪籌，天光才趕到的學生要修小思的課當然無望。只是世界不斷在變，認真教學的教授也在求變。近幾年小思在大學開設《香港文學散步》、《文字與影像—香港文學》等科目，教學設計也力求創新：「以前我是棟篤企講兩堂，現在的學生如果只是聽，上課是沒興趣的。」在《香港文學散步》一課中，她帶領學生親自去看作家在香港的蹤跡，例如戴望舒坐過的牢房、蔡元培和許地山的墓、魯迅的演講場地等，後來香港教育署對這樣的活動大感興趣，組織了老師來參加，小思和三百多人一起去散步是「幾特別」的經驗。《文字與影像》一課中，她要學生先讀李碧華《霸王別姬》的兩個小說版，然後看電影，最後再找張國榮來現身說法，告訴學生他是怎樣理解和閱讀小說，然後又是如何演繹，小思稱學生得到很大的啟發，因為他們估不到張國榮會是這樣想的。張愛玲的《傾城之戀》也是先看小說，再看許鞍華的電影，小思然後問學生許鞍華是否能拍出這種感受來，最後再找許鞍華來解說，而許鞍華也直認自己拍不出來：「係呀！我拍唔到，所以畀人鬧到死。」

——陳筱苓〈苦研廿五年　小思不寫香港文學史〉，見二〇〇二年十一月八日《明報》「星期六周刊」。

在紅白藍膠袋之前

忽然，紅白藍，成了香港文化的象徵顏色。

不是法國國旗，不是理髮店外的滾筒，是香港特具風格的膠袋。外國藝術展場中，紅館演唱會裡，活在西九的本土維權活動中，設計師心中時尚製品等等，耀目得很。對年輕一代來說，恐怕沒多少人會認識紅白藍膠袋背後的故事。

那是七十年代末，港人的集體記憶，事情距今不遠。紅白藍膠袋的出現，連繫中港兩地關切的人情，那時候，關道算開通了，港人袋袋日用必需品，飽含溫情，連年往內地送去。在六十年代的一輩記憶裡，在紅白藍膠袋出現之前，還該有布袋郵包。

內地一場大躍進運動之後，自然災害大饑荒，弄得人民無衣無食。在港有親友的還算幸運，每月獲得接濟。接濟方法很特別，為了通得過海關，郵包大小重量都要依足規定。港人聰明，用層層花布縫成小包，包住要寄的食物，白布或白毛巾作最外層，上面寫收件人姓名地址，就到郵局去郵寄。別小覷那層層小布包，收件人拆開後，再逐幅縫連，便稍緩無衣之苦。包內的油鹽糖，更是營養必需品，救活許多人。當年郵局堆滿布郵包，每月我也用毛筆為人寫上許多地址，記憶深刻。

在紅白藍膠袋之前，應該還有另一種記憶。

——刊二〇〇七年四月二十二日《明報》副刊「一瞥心思」專欄。

歷史有情，人間有意

《香港文學散步》序

歷史離得我們好遠？歷史好嚴肅好沉悶？

歷史是前輩走過的道路，我們正跟隨他們的步跡向前走：歷史不遠。

只要我們認知了他們的故事，發現他們的步履，就會產生感情。憑著情，我們著意吾土：吾土吾情。

散步，包括思想散步、感情散步。我們踏著前人步跡，跨越時空，走進現場，感受當年活的文化，感觸與吾土的關係，領悟一些鑑往知來的道理。

前輩，他們的名字，他們的行事，為我們熟悉的或不知道的，當年為了種種原因：政治意見分歧、逃避戰火、謀求生計、追求民主自由、尋找愛情……他們從祖國大地投身到這南方蕞爾小島，把精神注入過這片土的文化土壤。南來，成就了他們與吾土的一段因緣。

回眸細看，南來文化人到這片土來，就是暫且棲身，他們都各有嚮往，各有工作目標。他們不去別的地方，因為這片土既有接近母國的方便，也具備了可用的自由空間，讓他們盡本分向祖國發聲發光。

回歸十年，這片土上，人間漸漸在意——在意追查歷史身世，在意保育歷史痕跡，在意關懷與祖國的血脈相連。我們應該珍惜這些前人足跡，珍惜香港特具的一些優點。

翻幾頁書，閒來走一段路，也許，在散步中，自能領受一番吾土情懷。再細讀黃繼持先生寫的〈行腳與傾聽〉，自然聽到殷殷的歷史叮嚀。

二〇〇七年五月十一日

——刊《香港文學散步》增訂版，香港：商務印書館（香港）有限公司，二〇〇七年。

寂寞來去的人：柳木下

思想起，我欠下好幾位曾深深鍾情於文藝，而在香港寂寞來去，幾乎被人遺忘的老作家的一筆債——也許他們不計較，又或許早已忘記，有過我這個訪問者，但畢竟我過不了自己欠債而疚歉的一關。他們一個個離去，證明了時間不為人留，我應改一改「等資料齊備才動筆」的習慣，把八十年代初做的訪問和抄錄報刊的卡片，整理一下，寫多少得多少，且也希望引起曾與他們交往過的老前輩注意，多補充些他們的事，或糾正我寫錯的，以便為香港文藝史多添些材料。

柳木下，是我早在七十年代末就認識的香港文士。

到香港大學唸研究院，我在中文系當助教，從早到晚都在圖書館、辦公室看資料。他常去辦公室找馬蒙教授，馬教授叫我可與他接觸，以後，幾乎每個月都會見到他。

他稀疏斑白鬚髮，雙目紅腫濕潤，常要用手帕拭目。穿著尋常恤衫西褲，冬天多加件大衣，手提著舊書包，有時也會像日本人拿個布包，弓起背，蹣跚而行。好幾次，中午時分，在學生飯堂遇見他，他不是在吃飯，只在飯堂取杯白開水，送他自己帶去的麵包下肚。他每月都會到港大走動一兩次，拿些他尋得的舊書去找中文系老師，他不是去賣書，是去推介手中書，很認真很誠意地解說那些書的內容、優點。然後，老師們自會問價，他開了價目，老師就會不多一句話掏錢給他。他不囉唆，也沒求助相，他一直覺得自己不是來賣書的。正因此，我從不敢在飯堂「請」他吃飯，看見他低頭在角落吃麵包，我就遠遠躲開，免他被我看到而難過。

大家都知道，他來就是他要交租而欠錢的時候。我在港大，他已經沒有甚麼好的舊書了，但我總會全數收下，給他一點錢。他來到坐下，多帶苦澀笑容打個招呼，就把書拿出來，話不多。漸漸跟他熟了，才敢稍稍問起他的往事。比較知得全面些是一九八〇年三月四日在我辦公室的一次詳談。下面是他口述的零碎材料紀錄：

一九一三年廣東出生（盧按：有關他的出生年份，人言人殊，這是他親口說的，但無法證實正確否），一九三四年、一九三五年在上海復旦大學讀書，往來滬穗之間，在中山大學認識了梁之盤，故當梁在香港創刊《紅豆》後，就邀他寫稿。一九三六年到了香港，曾在華僑中學教了一陣子書，因不喜歡教書，辭職後就再沒做過甚麼長久工作了。一九三八年，一群本地青年文友：陳廷、杜衡、苗秀、麥思源、岑卓雲，當了《國際文摘》的編輯，也邀他參加了編輯委員會。此刊本屬《非非畫報》的增刊，以翻譯外國雜誌為主，由於抗日戰爭關係，要研究日本，找他翻譯日本雜誌（盧按：我問他怎會識日文，他沒回答，也沒說到過日本留學）。後來不當編委，只擔任「特約撰述」。香港淪陷之前，他在《大公報》、《星島日報》、《國民日報》、《華僑日報》的文藝版寫詩、寫書評（盧按：在一九四〇年十二月八日《華僑日報．華嶽》寫了〈讀《航》——馬蔭隱詩集〉），介紹希臘文化，特別在《華僑日報．華嶽》登詩較多（盧按：一九四〇年十月至十二月他寫得最勤，我只把編目抄在卡片上，沒有影印入檔）。香港淪陷，他回內地，到一九四八年返港，與侶倫多見面。一九四九年譯寫兒童文學作品，並以「香港兒童文化工作者」身份署名宣言（盧按：此時期，他也寫詩、譯詩，例如一九五〇年四月十日《華僑日報．文藝》版，他寫了《論望舒的詩》）。以後的日子，在香港沒有寫出多少東西。五十年代也為星洲世界書局編選文藝叢書。《海天集》是他唯一詩集（盧按：「唯一」二字是他嘆一口氣才說出來的）。

進入四十年代末期，他有些活動緊貼了政治性，例如一九四九年二月二十五日《大公報》刊出《港文化界發表宣言，反對釋放岡村寧次》，名單中有他署名。一九四九年四月十五日的《時代批評》的《保衛世界和平特輯》，他寫了《粉碎那些陰謀和詭計》。我相信這不是他一貫作風，只是當時局勢，文藝界與左右政治表態關係扯得很緊。我也沒有追問他的政治取向。

有許多問題，我是迴避不敢問的，例如一九三七年他參加了廣州的「少壯詩人會」，卻跟該會詩刊《詩群眾》的主編鷗外鷗不和洽，到一九八三年我訪問鷗外鷗時，鷗外鷗就如此批評他：「他是個對自己生命不負責任的人。」故往後我沒問他那時的活動情況。又例如他的生活如何維持、進精神病院等事，我都不敢碰。八十年代，我在中文大學工作，大概因交通不便，他只找我一兩次。

他一向踽踽獨行，但卻意外地出席過兩次公開的文學活動。一次在香港大會堂高座演講室，日期忘記了，是「香港文學藝術協會」主辦的「文學月會」，戴天和我主持。會開到半途，他突然推門進來，戴天停了話題，向觀眾說：「呀！我們香港的詩人前輩柳木下先生來了，我們鼓掌歡迎。」我們都站起來鼓掌，並請他坐到前排，他沉默坐到散會。另一次是一九八七年七月二十五日，「香港中華文化促進中心」主辦「四十年代港穗文學活動研討會」，他也來了，那天，是他與鷗外鷗兩位詩人遠隔四十多年後再度聚首，休息時間，他倆站在會場一角談了好久。他不肯拍照，我只好偷拍了一張，兩位二三十年代的香港重要詩人就在剎那留痕了。

許多文友都說柳木下患精神病，但直到八十年代，他的行為表現還是很正常的，他寫的文字也極有條理。他寫給羅孚先生的信足可證明。這封信寫於一九七六年十一月八日，由於他到報社找不到羅孚，就寫信留言，介紹他要賣的書，我抄出一段，證實他的研究認真及對書的在行，行文也極具條理。

「……這本《日出》，我看了『內容提要』的介紹之後，覺得很有意義，所以就買下來了。這是一本講蘇聯革命後『兩條路線』鬥爭的情形的小說，這種鬥爭，目前我國也正在鬥得如火如荼。社會的發展是有規律性，故這本小說頗可供『借鏡』之用。作者札莫依斯基（一八九六——一九五八）的名字對於我們十分陌生，但據說他是農民作家協會領導人之一，寫過不少中短篇小說，而最重要的是他的自傳性三部曲——《牧童》、《青春》、《日出》。……上海文藝出版社所選譯的小說，水準都是很高的。《日出》我還是初次看到，……大概書出版後也不曾運到海外來賣。……」

《日出》，一本五百三十六頁罕見的譯本，一九七六年賣港幣三十五元，還咬定是實價，就是舊書，仍屬高價，信中還交代「款請由門房轉交」，大概有點硬靠文友之助過活了。

大概八十年代後期，有一天他打電話給我——他是從不打電話給我的，說他欠了籠屋的租，但自己又進了醫院，叫我代他去桂林街交租。我實在不敢單獨去，就叫了一個男學生代我去做這件事。好像過了一年，他再打電話來，說又進了醫院，這次他不是叫我去交租，而是叫我去他的住所取回他的行李。身為女性，我沒勇氣去取物，我只好請葉輝去了。那是他最後一次接觸我，以後就消息渺然了。

讀他早年寫的詩，當見才藝水平不低，可惜有才不用，大半生窮愁潦倒，只靠賣書維持生計，這是詩人的性格悲劇，旁人也無由指摘。

他的作品不少，應該有人加以蒐集整理，作為香港文藝史的點滴。香港文壇，給過他游走空間，只是他選擇了寂寞來去。

——刊二〇〇七年八月十五日《城市文藝》19期，作者署名盧瑋鑾。

❖ 證

柳木下（一九一四—一九九八）是香港一九三〇及四〇年代很重要的詩人，從一九三五在《紅豆》上發表《我．大衣》，到一九六六《文藝伴侶》上的詩作，柳木下詩齡三十多年，寫過的詩不少，但只為我們留下薄薄的一冊，僅收創作五十首的《海天集》（香港上海書局，一九五七）。柳木下在《後記》中說：這些詩，其中有大部分都是在寓居香港時寫的，而香港的碧海和青空，在某一個時期，曾經是我的寂寞的伴侶，故姑名之為《海天集》，聊以紀念香港，及個人生活上的若干遭遇。

——許定銘〈魂歸海天的詩人〉，見二〇〇九年七月二十九日《大公報》副刊，網上讀取：香港文化資料庫：https://hongkongcultures.blogspot.com/2014/08/blog-post_8.html

默動的啟示

法國默劇大師馬塞馬素於二〇〇七年九月二十三日逝世，我深深悼念，四十年前，這位在舞台上以默動給我無數啟發的演藝家。

他首次到香港來表演，應該是六十年代末了。那時候，外國默劇藝術在香港觀眾心中很陌生。一來就來了一級大師，夠令我們眼界大開。

其中《逆風而行》，小人物頂住狂風步進步退，觀眾真的如同身受。《密室受困》，空無一物的舞台上，憑他的雙手與肢體扭動，我們竟看見了四堵不斷收窄的圍牆，他用力摸索，上下樓梯，慌忙尋求出路，觀眾與他同時受壓逼，幾乎窒息。《面具》，小人物試戴喜怒哀樂的不同面具，他的面容隨著雙手掩映而變化，時喜時哀，沒有自己的真面目，最後，戴上悲苦面具後，卻無法脫下，遂成永久的悲苦。《阿當與蛇》，蛇是他的左手演化而成，不斷朝向他的臉，我們竟然「看得見」蛇誘惑的表情，吃不吃右手的蘋果，成了阿當的掙扎。

當年給我印象極深的不是他那小丑必必造型，而是他的肢體表演的高度控制自如，從實質與抽象之間取得神髓，不著一字，盡得風流。還有他對人生哲理的探索，對許多無奈的悲情，竟可默然傳遞，引起座中興歎。

他的表演令我明白，站在教壇上，身體語言也十分重要，那時候沒有科技支援，欠缺教具，教師的肢體挪移恰當，有時勝似千言萬語。教學，也是一種表演藝術，看過他的演出，我努力學習手勢、眼神的運用，對我的教學極有幫助。

後來他來過幾次，儘管年紀大了，演出有點吃力，劇目也沒新編，但我還是去看，以表我對他的敬意。

——刊二〇〇七年十月二十日《明報》副刊「一瞥心思」專欄。

❖ **證**

第一次聽到法國默劇大師馬塞·馬素的名字，是在盧瑋鑾老師（小思）的課堂上。她推介學生去看，且說機會不多了。那時，馬素七十出頭。這次來港，他已八十了，雖然他過去已六次來港表演，那種「機會不多」的感覺卻總揮之不去。

——張薇〈馬塞·馬素：沉默是好的〉，見《香港經濟日報》二〇〇三年十月二十二日C18。

「源遠流長」

無數故紙，呈現了香港大學中文學院八十年的成績與歷程。

去香港大學美術博物館看「源遠流長——香港大學中文學院八十周年」展，展品中的照片、文獻紀錄、刊物，都充分展示了中文學院的故事。

因為研究許地山，我追跡他在香港大學的步履，對香港殖民地教育體系多些了解，對香港大學早期中文系的變化多些認識，今回能在舊照片中看到有關知名人士，如賴際熙、區大典、許地山、馬鑑、陳君葆、林仰山等面容，配合文字資料，真實而親切。

展品中最珍貴而又難得一見的，是研究院碩士論文的考試委員對論文的評語。其中一紙，是牟宗三老師審閱黃繼持論文《性即理與心即理》的報告書，四十多年前的師生情誼，盡現無遺。報告書詳列論文優點：「文字清晰，措辭恰當，極為難得。分析問題極中肯要，勝於一般人之浮泛不切……統觀全文在分解的理解上極成功，此雖為一普通所周知之問題，然而未有能清楚地、中肯地明其所以者。就此而言，黃君此文貢獻甚大。」以我認識的牟老師，極少如此稱許學生，也由此記起繼持兄生前對牟師學問的津津樂道的憶述。注視著這份故紙，老師與好友，雖已作古，但學養音容，仍歷歷在目。

陳列出來的論文報告書，指導老師自是名家，受評的學生，也早在學術界揚名，現在讀起來，真是學源大脈分明。

中文學院源遠流長，理應還有許多寶貴資料，如細加發掘整理，修輯成可供參考檔案，建構有神有理有情的歷史一頁，方不辜負眾精英一路行來。

——刊二〇〇七年十月二十一日《明報》副刊「一瞥心思」專欄。

❖ **證**

二〇〇七年十月六日—二〇〇七年十一月十一日為慶祝香港大學中文學院創立八十周年，香港大學中文學院與香港大學美術博物館聯合舉辦源遠流長：香港大學中文學院八十周年回顧展。展品包括八十年來與中文學院相關的資料及老照片，其中有學者的信札、手稿、期刊、學生論文，以及早年師生活動的照片。這批展品，使觀眾對昔日中文學院的歷史變遷，有更進一步的了解。

——源遠流長：香港大學中文學院八十周年回顧展，香港大學美術博物館展覽回顧，網上讀取：https://www.umag.hku.hk

❖ 牟宗三老師審閱黃繼持論文的報告書，見二〇一七年七月十二日「香港大學中文學院 @sochku90」臉書。

查黃繼持君「性即理與心即理」一文，乃以朱子與陸象山為中心，還述宋明儒思想發展之大脈。其優點如下：

一、文字清晰，措辭恰當，極為難得。

二、分析問題極中肯要，勝于一般人之浮泛不切。

三、表明朱子所以堅主「性即理」，唯在視心與神俱屬于氣，此則不合先秦儒家古義，亦不合北宋濂溪、橫渠、明道之所體會。此點乃宋明儒分成兩大派之本質的關鍵。其餘諸義異以及錯綜複雜之糾結皆可由此而得明。

綜觀全文在分解的理解上極成功。此點為一大家所同知之問題，然而未有能清爽地、中肯地明其所以者。就此而言，黃君此文貢獻甚大。應予70分及格。

指導人 牟宗三

Supervisor: T.S. Mou

July 1, 1965

校內考試委員 羅香林 Lo Hsiang-lin

方言的生命力

一天，跟友人談起廣東話入文問題，他開首以為我一定持反對態度，只因為我是中文老師，維護純化語文的立場必須堅定。

我說如果我以中文教師身份，責任在指導學生學習純化語文基本功，我必然反對學生以廣東話入文。馬步未紮好，不能打醉拳，底功重要，不應偷步。基本功練成了，文筆運用自如後，就大可從心所欲。作家採用方言入文，有時反具鄉土氣息，增強地域色彩，魯迅作品紹興方言不少，老舍小說北京土話成了風格。作家採用自己熟悉的方言，有時會恰到好處，外地讀者因陌生而好奇，本地讀者因了解而共鳴。寫得好不好，就必須看方言與基本功如何配合。曾有創作班學生連文字功底都薄弱，卻以廣東話入文來交差，好等我反對，就以我「反對廣東方言」入罪，有點挑戰意味。誰知我對他說，好，你就用純廣東方言寫一篇文章給我吧！這就難倒他了，他寫來寫去，連他自己都認為不似廣東話，死未？

方言，不是不可用，但由於它生命力強，變化極大，魯迅老舍是大家，作品自有人為他們所用方言注釋。聽說今天的北京人已不大懂老舍用的京話了，那用方言，就有如何傳世的考慮。

我對廣東話的生命力演化很感興趣，蒐集了一些清代以來的廣東話作品，愈看愈覺得變化太多，特別是民間流行的話語——出自文人之手的粵謳，已嫌文雅。應聽坊間瞽師的措辭、二三十年代廣東大戲曲本，才訝異方言在社會中如何急速變化。我識講廣東話又如何？原來，還有許多我不懂的廣東話。

——刊二〇〇七年十月二十八日《明報》副刊「一瞥心思」專欄。

通街外文

◇任香港中文大學東亞研究中心客座教授

老友從加拿大來港短遊，相約要見一面，地點由我定。大家都匆匆，最好隨便找一家咖啡店，我說：「Starbucks吧。」對方在電話線另一邊突然靜默了幾秒鐘，然後哈哈大笑了三聲。我聽得出她弦外之音：「你都有今日嘞！終於講英文嘞！」與我相熟的朋友學生，都知道我幾十年來，堅守一個原則：與中國人不說英文，連跟人家分別，也只說再見，不講拜拜。老友一直記得我這「唔化」習慣，大概有點捉到我錯處的快樂。

唉！那店本來就沒有中文名，內地叫「星巴克」，怪彆扭的。該怎樣叫，才令外來人明白是指那家店？

回歸十年，街道上外文店名愈來愈多。不必說中環心臟地帶，歷山大廈、太子大廈、遮打大廈、置地廣場……名店林立，等閒不能依英文字母拼音照念，法文意文，亂念就出洋相。最近，情況變本加厲，東向移至萬茂里、星街一帶、天后、太古坊。不必說蘭桂坊了，西向雲咸街、擺花街、些利街、史丹頓街、歌賦街，延至荷李活道、文武廟附近。那些老街不知不覺中，變化面貌。汽車修理店、缸瓦舖、雜貨舖、香燭店，都隱沒了，店面一家家歐化，招牌一個一個變成洋文，我站在街頭，倉惶失落，像個異鄉人。

車牌自訂，也花款百出，只因要用英文字母，不懂英文的人要記住別人車牌實在十分艱難。電視的英文台有些好節目竟配上英文字幕，方便了失聰者，卻剝奪了不懂英文觀眾多識的權利。

真的出人意料，回歸祖國後，外文地位會變得如此聲勢，而我這個「唔化」的中文人，竟然「陣地失守」，得來老友大笑三聲。

——刊二〇〇八年一月十九日《明報》副刊「一瞥心思」專欄。

驚艷

坂東玉三郎的杜麗娘造型照，簡直叫我心神俱醉。

早就得到消息他與崑劇名角汪世瑜合演《牡丹亭》，曾看過市川笑也與張軍演「遊園」一折，市川是純歌舞伎扮相，且不夠柔弱，當然無法與坂東玉三郎相比。坂東玉三郎這個日本國寶級大師，他演「楊貴妃」，已夠風華絕代，緩緩地舞動雙手雙扇，嬌柔含情，但與他傾慕的梅蘭芳演法不一樣，頭飾、裝扮雖已中國化，敷了粉的臉仍純日本女形扮相，如面譜般掩蓋了表情。

今回他得張繼青老師指點，決心採用純中國舞台裝扮，還用中國唱詞。崑劇凝重內斂，日本歌舞伎同樣也有此特點，只欠唱造同時，且極少對手合演。我一直猜想，如此合作，出來的效果該怎樣？

宣傳海報上一幀倚石微微頷首的劇照，那就是杜麗娘！還要是真古代的善感含愁少女！一入眼即入心底，陣陣醉人。海報上，坂東渾然天成如古仕女嵌進畫圖中，不作他人想了。

這一驚艷，惹來深深感歎。我有幸，六十年代看過越劇《紅樓夢》中的王文娟，八十年代看過漢劇的陳伯華、崑劇的張繼青，電影中看過年輕的梅蘭芳，他們的亮相完全是古代人活化。神態宛如古畫仕女圖。年輕一代演員，個個貌美俊俏，可卻就偏偏欠了內蘊——美則美矣，奈何眉梢眼角無情無物，穿起古裝，身形體態卻十分現代。

今年京都，三月初，春寒未褪，在四條河原町邊上，最古老的劇院：南座——日本人說一生起碼應去觀劇一次的劇院，坂東的杜麗娘就會輕移蓮步，步上舞台，到時候，中日戲劇互融，定當姹紫嫣紅開遍。

——刊二〇〇八年一月二十七日《明報》副刊「一瞥心思」專欄。

參

❖ 我相信真正的崑劇迷一定並不以然，一個日本人練幾年就能交戲，特別是法度嚴謹崑劇，任是天才也難吃得準。……坂東先生的演技當然不能與張繼青老師比，但他對中國戲劇人物的理解的巧用心思，最值得中國青年演員深思。

——小思〈再說坂東玉三郎〉，見二〇〇九年十二月十三日《明報》副刊「一瞥心思」專欄。

我的豆本

遠於一九七三年，我買了第一本空白豆本，洋裝，硬皮白封面，燙銀頁邊。長6.5cm，不算極小豆本。這本書，我用極幼黑水筆在每一頁上寫一首「詩」——算是現代詩，恐怕也是我一生唯一的現代詩作，記錄下那一年我在京都的生活、遊蹤、感情，今天重讀，很真切，但也很幼稚。特別開首七頁講初見雪的感受，寫出南方遊子離家第二天早上，就陷在漫天大雪中的慌張、冰冷的孤寂與恐懼，「從來沒有看過／那麼深的足迹／回頭再看／那麼深的足迹！／第一次，看得清楚／自己的歷史。」都是當時真實的寫照。三十多年來，我珍藏著它，沒讓它見過人。

以後斷斷續續在日本買了些空白豆本，其中兩本只有4cm長，回家細看，才知道是「中國製造」，證明我國也懂製精緻小東西，可是平白地，錢卻由日本人賺去。一九九九年在德國魏瑪小鎮，購得連外匣子的精裝豆本《歌德傳》，紙質極佳，印刷精良，我買了卻讀不懂，因為是德文。另買了兩本空白豆本，也是「中國製造」的。

那天買來智海的豆本，應是目前藏品中最小型的了：W2cm×H2.7cm×D2cm，收在褐色布匣中，巧手線釘連，可惜欠了封面。他只製作了四十本，我買了編號第十六本。他對自己的作品，有如下一段文字交代：「一句說話，一段文字，寫在A4紙上，還未能盡意，想用更好的語氣，更好的態度去表達，於是把A4紙折成小書，為這句話、這段字，找更合切的形式。」我深信，這已不是A4紙的形式，必然可為某句、某些字，設一個安身之所。理應找一支更幼的筆，為一顆極敏感而細密的心，鐫刻下一句一段文字，藏在匣中。但我要問：為甚麼匣面要寫上英文？

——刊二〇〇八年二月十七日《明報》副刊「一瞥心思」專欄。

參

❖ 香港人大概不大知道「豆本」是甚麼東西，那是日本的用詞，西洋應稱「袖珍本」。我找過中國印刷辭典，只有「巾箱本」一種型製，最近幾年上海古籍出版社出版的《書韻樓叢刊》應屬典型，像手掌大。……豆本，長度一般4.5cm左右，我也見過一本只有拇指甲那麼小的作品。每年日本大都市如東京、京都都舉行「自作豆本展示即賣會」、「豆本作家作品展覽會」。

——小思〈精緻豆本〉，見二〇〇八年二月十六日《明報》副刊「一瞥心思」專欄。

零食

我吃零食的習慣，是父親嫡傳一派。

母親生活嚴肅而有條理，正餐外，偶然一頓下午茶：一杯熱鮮奶咖啡一塊三文治，其餘不吃雜食。父親卻是個零食大王，晚飯剛吃過，就籌備宵夜，綠豆沙、紅豆粥、白果腐竹雞蛋糖水、杏仁茶、芝麻糊，天天一款。天寒地凍，忽然也會要我挽個銻煲去譚臣道大牌檔買魚蛋河粉加油菜。在宵夜之前，還會攤開花生、陳皮梅、嘉應子、福州欖等等，邊看報紙邊吃。這是正常狀態！如果去環球、國民戲院看電影，門外小檔口，擺賣的酸菜、酸蘿蔔、酸木瓜、酸沙梨、椰子夾酸薑，吃個不亦樂乎。冬天冷風呼呼，砂炒栗子、煨番薯拱在懷內進場，十分滋味。只有一樣東西他從不吃，就是香氣四溢的煨魷魚，原因不明。還有，父親不愛吃糖，特別是洋式糖，也許舶來品太貴，只在過年，我才可以吃得到牛奶糖、瑞士糖、朱古力。

父親去世後，因經濟問題，我已無法滿足地大吃。念中學時，只吃價錢較便宜的花生，過量了，終於患上胃病。當時許願：他日賺了錢，一定買許多好零食，一玻璃瓶一玻璃瓶放滿一屋。老朋友老學生，或許還會記得我放在客廳中的大瓶七彩朱古力豆，和過年放在全盒內的雜拌兒。

到隨手隨時可買到零食的時候，我卻不大能吃零食了。儘管心裡仍念念那些滋味，不知道是舌頭味覺起了變化，還是現在醃製的鹹酸東西用得太多化學品，吃起來，總覺苦澀難當，連糖的甜味，也叫舌頭不好受。花生品種雖多，但欠真味，那死硬，牙齒更無法應付得來。

人生就是如此！

——刊二〇〇八年二月二十三日《明報》副刊「一瞥心思」專欄。

參

❖ 一九四六年我第一次吃朱古力。……一天，母親從外邊領回一盒救濟品，據說是美國送來的。……黑古勒特的那塊硬件，外國叫做朱古力，是糖果，很有營養價值。……怎樣吃？母親用菜刀大力打碎，給我吃一小塊，誰料進了嘴，就融得一塌糊塗，糊住舌頭，苦澀難當。嚇得我趕快吐出來，用水漱口。……母親認為既是有營養價值的東西，不宜浪費，就想辦法逼我吃。她用水煮溶了朱古力，加一點點片糖，讓我當糖水喝。我天天喝朱古力水，皺起八字眉頭當藥水般喝。

——小思〈我第一次吃朱古力〉，見二〇〇八年三月十五日《明報》副刊「一瞥心思」專欄。

中文與通識

教育改革改到翻天覆地之際，我買到了一本令我心神一振的老書！

老書？也不算太老，不過一九二七年初版面世而已。書名《言文對照初等論說文範》，因為我蒐集舊時中文教科書，初入藏，只把它當成一般舊教科書看待，誰料細讀下，才驚訝遠在八十年前，已有人懂得如此設計中文教學。

這本初等讀本，內容包含天文、地理、動物、植物、生活習俗、尺牘、道德理論、時事感言……可惜篇幅所限，在此不能把全書目錄開列。它的設計是每課先以只有一百餘字的文言文開始，跟著是「演俗」，即該文語譯，文白寫來，都很流暢，但最具新意的是接下來的四項，現試舉例說：一課叫〈牛的自言自語〉，第一項「舉例」：「可對我們人說，也可對著犬羊一類說，或是牛對牛說，只要說得有理。」第二項「注意」：「最好完全是牛的口氣。」第三項「文法」：「牛非真有是言也，不過以意度之而已，所以謂之為擬人法。」第四項「義蘊」：「含有象齒焚身的意味。」每項簡要中的，不必囉唆。態度開放，也是本書特色，例如一課講〈罷市〉，「注意」就說：「此題能將工人與資本家之甘苦，一一道出為最好。」一課講開學對國父像行禮，「舉例」說：「此題可推開說去，不必拘定崇拜中山一人。」試設想這在國民黨執政時期，是何等大膽。

這書既教好中文，又廣涉一切知識，特別在「注意」項中，往往提出學生必須針對題目「研究一番再做」，這與今天的通識科何其相似。

不知道課程設計者、教科書編寫者，有沒有興趣讀一讀此書？

——刊二〇〇八年三月九日《明報》副刊「一瞥心思」專欄。

❖ 證

小思：民國初年的國文教學看不到很完善的目標，也不要求教科書達到甚麼效果。二十到四十年代，中華、商務、開明等出版社幾乎包攬了語文教科書的出版。那時候的中文教科書注重的不只限於識字，行文也有文有白，它還用來完成另一些目標：第一是通過語文學會現在所謂的通識，如物理學、動物學等科學知識和生活常識；第二是進行道德教化；第三是認識時代的事物。換言之，語文的學習內容就是「生活中要考慮到的東西」，當時沒有完整的課程觀念，也沒有所謂語文、文學之別，文學教育就是唸唐詩、宋詞、元曲等。我的小學校長從北京大學回到香港來，就很不滿意香港的小學的語文教科書，覺得不夠分量，像那些「開學了，媽媽帶我上學去」的課文，實在太淺了，於是他要求學生手抄文學作品，背蕭紅的《火燒雲》、魯迅的《秋夜》。到四、五十年代，香港用中國大陸慣用的教科書。當時語文、文學並沒有分家，教文體，教語文技巧，也不忘文學。現在的課程把語文的內容分家分得太細是有危險的。舉例來說，「子曰」兩字，從純語文的角度看，豈不是「主語加上動詞」就講完？當然不是。

——周燕明〈從老教科書談起——小思專訪〉，見二〇〇八年《啟思教學通訊》1期。

崑劇的傳承

今回到南京蘇州看崑劇，我對阿慧說，你的夢，人家圓了。

阿慧常說她十多歲開始就有一個夢想：發達了，要辦一家小型戲院，免費給粵劇小班新角上演，像荔園、啓德遊樂場般，讓粵劇新人多踏台板，以便傳承。我每聽一次就笑她：發夢啦！

那夢一發幾十年，只見上演粵劇的戲院一家家拆了，最近連新光恐怕也保不住，阿慧的夢看來難圓。熱愛粵劇的新人自力更生，應該說快樂地自討苦吃，在環頭環尾的文娛中心，求得一兩天檔期，一年才演上一兩次，算是滿足自娛，畢竟磨練機會太貧乏了，粵劇要傳承，真是艱難。

崑劇，被譽為「中國戲曲之母」，唱辭典雅，做功優美，可惜粗快的時代風格容不下，儘管經有心人士努力搶救保護，又被聯合國教科文組織列為「人類口述和非物質文化遺產代表作」——我對這個外國人認可給予的稱號很反感，只是人家往往以此為榮，常亮作招牌，我也隨俗用了。崑劇觀眾日少，演出機會也得辛苦爭取，似乎景況並不理想。但人家有一群熱心支持者，包括不同派別的演員、不同行檔的師傅、有錢有心的觀眾，可以說無私的付出支持。

例如兩位不同派別的老師，各自傳授一齣首本戲給同一個年輕演員。一位高齡師傅義務擔任掌板。一位做玉石生意的青年老闆資助了在江寧府學古戲台的全年演出專場費用。江蘇省崑劇院有了這巨大助力，可以天天免費招待觀眾看戲，演員可以天天踏台板演經典戲，火裡風裡磨，磨出真功夫。

看台上背幕貼著「盛世寶玉」四個大字，是資助者的廣告，崑劇正是傳承著的寶玉。

——刊二〇〇八年四月十三日《明報》副刊「一瞥心思」專欄。

悼施其樂牧師

我並不認識施其樂牧師，但我卻十分尊敬他。

近年來，許多年輕一輩努力投身本地保育研究，熱切追尋各社區的舊貌根源，可是大都近似即興式的呈現，淺嘗輒止，資料貧乏，令不懂的人看了還是不懂，懂得的人看了失望，得不到知識、思維增值。這都因他們湊興熱心，卻沒有歷史研究的支撐，不求深入資料探索，快而熱鬧哄一場，結果往往得個浮泛論述，或速寫式唔湯唔水的紀錄。

施牧師比許多香港人更早就認真關注香港歷史了！他默默做著採史工作，翻查官方紀錄、蒐集檔案、細研文獻、蒐羅一切與香港歷史有關的雜項材料，然後抄成數量難以估計的資料卡，重構香港身世面貌。這種工夫，非有耐心愛心不行，非抵得住寂寞不行，施牧師幾十年就這樣做，可是沒多少香港人知道他、尊重他的研究成果。

灣仔區的保育與研究，為近年熱點。區議會、平民都在推動，甚至連民政署也在當眼路邊豎起「灣仔海岸線圖」，出版《灣仔海岸線歷史徑》小冊子，但施牧師早就做了。他那本《歷史的醒覺——香港社會史論》中，講灣仔填海、講灣仔早年群族人口分布，是多麼詳細而深入，所採史料多麼可信，看了令灣仔人感動。他掌握資料，就會對香港種種問題很敏感，自然產生別人無法想像的開創性議題。他珍視資料，寫得不多，加上不趁熱鬧，香港人怎會重視他？據說他的資料卡片已逐步在政府檔案處網上公開，希望有心人好好利用。

這位熱愛香港史研究的老學者，於二〇〇八年四月七日在澳門逝世了，今日在九龍佑寧堂有追悼會。

——刊二〇〇八年五月三日《明報》副刊「一瞥心思」專欄。

❖ **證**

剛在三月於澳門度過其九十歲生日的一代香港史研究者施其樂牧師（The Rev. Carl T. Smith），不幸於四月七日在當地鏡湖醫院病逝。對這位半生在香港工作和研究的前輩來説，能活到這把年紀，大概不算憾事。然而筆者對這位良師益友、也是香港史巨人的離去，失落之情仍不免油然而生。

——高添強〈香港史研究者施其樂牧師（一九一八—二〇〇八）〉，見二〇〇八年四月十五日《田野與文獻》51期。

難遣憂懷

午後，服了藥小睡醒來，一房藥味仍濃，推開窗，好讓藥味散去。窗外，棉絮飄舞，宛如飛霜。蒼鷹在晴空盤旋而下，又飛高了。在這裡，是個好天好日，可是在遙遠的國土上，卻土崩山裂，受難的同胞，正與死亡搏鬥。

當年，唐山大地震，我正在內地旅行，卻對天災慘劇一無所知。旅程給人臨時改動，由北方飛回桂林，只覺主事人一面霜嚴，我們看慣文革期間人的木無表情，也不奇怪。可是街頭耳語，說北方有事，我們仍舊遊山玩水。回到香港，知道大地震，當時資訊不多，隱隱約約，有點無關痛癢。

比當年更大的災難突然來襲。坐在電視機前不斷轉台：鳳凰、東森、中央、有線、無綫、亞視，重複又重複追看災情，媒體投入，千里傳真，讓人們感同身受。

我得記住一些影像——儘管那只不過整個災場萬分之一二的景象，還可能是經篩選過的狀況，作不了準，但我深信仍是真實片段，這是歷史的片段。人類只有經歷生死關頭，才顯出真情善惡。互聯網傳來電視上看不見的某些人的醜惡行徑，但我寧願記住一些淒涼而善良的鏡頭。

整夜無眠，我憂還沒死去的人失救，我憂餘震仍頻，我憂大小水壩保不住，我憂堰塞湖崩塌，我憂泥石流淹蓋正在逃難的山間路上人，我憂疫症出現，我憂某些化工廠的破壞，我憂拯救人員的體力不支，我憂領導人站在危城下的安危，我憂全家喪生獨剩一人的情緒，我憂不慣採訪如此危難的記者們的支撐力與安全，我憂……一切與我憂痛相關。

屢屢提不起筆來，文字此際多麼軟弱！但我仍勉力為之，為的是憂懷難遣。

——刊二〇〇八年五月二十四日《明報》副刊「一瞥心思」專欄。

❖ 參

此際，存者的我們，應無執無我，毋憤毋忘，用恆久堅持，等待鳳凰重生，以更豐的羽，以更清的聲，以慰飄蕩的靈魂。在此且引郭沫若詩句：「死了的宇宙更生了／死了的鳳凰更生了／鳳凰和鳴／我們更生了。」獻給亡魂，是你們，以生命換來國家更生！

我禱告，我盼望，我們的鳳凰，浴火之後，展翅高飛！

——小思〈鳳凰涅槃〉，見二〇〇八年六月七日《明報》副刊「一瞥心思」專欄。

❖ 四川大地震又一年了，據許多媒體現場報道，坍塌村鎮下仍埋了沒有準確數字的死難者，荒墳處處，生者悲憤仍存。……香港，有心人在這一年裡——看來在未來日子裡，仍持續不懈貢獻自己的力量，為四川重建用心用力。大學的專業人士如建築師為災民設計防震房屋，說服村民如何利用政府資助卻不足夠的錢，先建小房，以後才陸續擴建。社會工作者、心理學家紛紛北上培訓當地義工，給予各種精神支援。醫療人員不斷幫助肢體傷殘者調校義肢，訓練當地醫護學習最有效新法。更有辭退本職，出錢出力，全情投入當義工的高薪人士。……大概沒有一本史冊記下這些有心人的名字，但我想他們心中比誰都平安。而我也不必把那些錙銖必較、自私自利的人放在心中，令自己一想起就不平憤怨。我願心中留出一片乾淨土，為這些有心人祝禱。

——小思〈有心人在〉，見二〇〇九年五月十日《明報》副刊「一瞥心思」專欄。

證

❖ 二〇〇八年五月十三日《明報》要聞版：〈7.8級大地震死傷萬計　強度同唐山大地震　震央汶川十一萬人生死未卜〉，內文報道：「在距離北京奧運開幕僅有八十八日之際，據官方宣布，四川北部阿壩州汶川縣昨午二時二十八分發生威力相當於二百五十六個核彈的黎克特制 7.8 級地震，震央位於二十公里的淺層，強度堪比一九七六年造成 24.2 萬人死亡的唐山大地震，震源深度甚至比唐山的二十二公里還要淺，死傷數字也僅次於唐山大地震。截至昨晚十時，地震已造成四川、甘肅、重慶、雲南等地區至少九千人死亡，傷者數以萬計，其中有香港人。相信死傷數字還會大幅增加。」

二〇〇八年

莫高窟的守護者

從電視上看到敦煌聖火傳遞第一棒火炬手：敦煌研究院院長樊錦詩——一位面貌、身材、神態，甚至喜穿格仔恤衫的愛好都與我幾乎百分之九十五相似的女性。精神飽滿地高舉火炬，說：「讓我老太太煥發了青春！」使我想起這位永不氣餒，守護著很重要卻又岌岌可危的歷史寶庫：莫高窟的學者。

我知道敦煌研究院有位終其一生情志不移的常書鴻先生，但並不知道後來又有一位堅守了四十五年的樊錦詩。

年前，再訪敦煌，在研究院聽她踏踏實實講了莫高窟的保護困難與如何設法求存的一番話後，深信好東西還須得不移情的守護人，才能保存下來。

一九六三年北京大學歷史系畢業，卻被分配到荒涼的敦煌去。一去就想走！衣食住行樣樣缺乏，上下窟穴工作要沿繩攀索，慣住城市的女孩子如何忍受？但時勢使然，走不掉，只好咬牙做該做的事。一做到如今遙遙四十五年，她說：「趕我也不走！」人與地，生命與感情締結了，走不掉。

這不是一份好工！世界著名又如何？保育研究在在需財，地方政府並無助力，自負盈虧，不必上繳已是大幸。自然力量侵害大，人為破壞多，年輕一輩怕苦不來接棒，一切傷透腦筋。「如果敦煌壞了，別人不說我，我也是罪人。」可見身心負擔有多重。還有夫妻兒子分隔，要二十多年後才一家團聚，這種堅執，也非常人能夠忍受和理解。

莫高窟壁畫的顏色線條，經歷風塵，已一絲絲漫滅消退，人力科技能有多少幫助？眼看洞窟中藻井飛天圖像，已呈隱約，衣帶裙裾已漸褪色的菩薩像，深深感受許以終身的守護者的情急吃力。舉起薪傳火炬，每步艱難。

——刊二〇〇八年七月十九日《明報》副刊「一瞥心思」專欄。

證 ❖ 莫高窟的守護者

樊錦詩。

藏書心思

我不是藏書家，我只為用書才購書，讀後儲存備用罷了。

正因要「用」，幾十年來，購書就朝著主題目標下手。我開中國現代散文課，有關這方面的書，作品、理論都盡量蒐集。我研究香港文學、文化，與此相關的資料，也盡力蒐羅。

學生看見那麼多書，總會好奇問：吓？那麼多書，你全都看過嗎？我往往叫他們隨便取出一本書，我都能說出該書重點，以證我沒躲懶。細心的學生也可以看到書中我寫的紫色筆跡，有些寫上參看某一頁，可聯繫某些線索。後來，我怕畫花書頁，又怕影響他人閱讀情緒，改用日本的付箋紙條（Post-it），把要點改寫在上面，可惜進入館藏後，這些紙條都不見了。

還有，有些書表面似乎與研究項目無關，也在收藏之列。他們很懷疑，我買來有甚麼用。例如：《方方研究》、《南方局黨史資料》、《報學雜著》等等，看不出與香港文學有何關係。他們就是不知道，三四十年代直接影響及管理香港左翼文化政策的是「南方局」，方方是四十年代中葉中共中央香港分局的書記，和潘漢年同樣重要，港英政府曾搜查他的住宅，他們的舉動與香港文壇息息相關。成舍我在《報學雜著》中，講述了他抗戰期間，如何把《立報》遷港，還提及他的辦報立場。這種材料串連起來，呈現微妙脈絡，巧妙建構活動舞台布景。專業藏書，主次材料，唾手可得。主題藏品，不宜拆散。

退休後，「不務正業」，我絕對從興趣出發。如今再看我的書架，建築、日本文化、書籍幀裝設計、舊書版本書影、名家手跡、舊日教科書等項雜亂紛陳，不認識我的人，看不出我的心思，只覺此人得一雜字。

——刊二〇〇八年七月二十七日《明報》副刊「一瞥心思」專欄。

一封十九年前的來信

在第一屆「豐子愷兒童圖畫書獎」發布會上，與多年未見而又來去匆匆的豐一吟大姐相見。公眾場合，時間太短，有說不完的話也只好不多說，兩人相擁頻說珍重珍重。臨別她遞給我一封信，說：「這信你一定沒收到，現在親手交給你。」

一封一九八九年九月寫的信，十九年後交到我手。

信中詳細記述了一九七四年，我托請羅孚先生冒著文化大革命批鬥險況，輾轉把日本畫家竹久夢二的畫集《出帆》送去上海，她父親豐子愷先生收到後的日記紀錄。我早已忘記自己在一九七五年五月三十日寫過信給豐先生，更不知道他寫了一首陶詩〈盛年不重來〉寄給我——那年頭，外寄書信給查禁乃是常事。一切錯過了就是錯過了，追不回來。但原來自己的名字、地址給豐先生親手寫過，我就深深感動了。一吟姐信中提及他父親與我因政治阻隔而中斷了的情誼，八十年代初，由她繼承下來，於是我倆通信頻繁，成就了我們似疏還密的友誼。正因此，我可以到龍華公墓去拜祭豐先生，完了一樁心願。

至於她為甚麼寫這封信？為甚麼沒寄出？是因為該年六月我參加了他們組織的「豐子愷研究會」，她乘機會把豐先生的文字紀錄告訴我。而信末她說：「聽宛嬰（漫畫家畢克官先生的女兒）說，你這兩個多月來身體精神欠佳。我很掛念。寄語明川（一吟姐多叫我這筆名）：全世界的人總會有一天懂得追求率真，總有一天會博愛天地人間。」的確，一九八九年六月，我心神俱傷，故畢宛嬰有此一說。一吟姐含蓄問好勉勵，大概亦深意存焉。

這信在她手中一躺十九年，終於我讀到了！

——刊二〇〇八年八月十日《明報》副刊「一瞥心思」專欄。

❖ **證**

一九七四年四月，父親收到香港友人輾轉托人帶來一封信，說是有一位盧瑋鑾小姐對他慕名已久，特地訪得他所喜愛的日本畫家竹久夢二的畫集《出帆》，正在設法寄進來。第二年年初，那本書果然出現在他那狹小的案頭了。父親按慣例在自己的通訊小冊中記上一筆：「羅孚（女）74.5月托焦惠標（香港新晚報記者）帶信來，言盧瑋鑾（女）送我竹久夢二『出帆』一冊，盧曾在京都大學國際性研究會上作關於我的專題報告，對我十分崇拜，回港時帶此書來送我云云。香港大公報羅承勛寄來。75.1.16 收到此書。75.1.17 去函香港大公報羅承勛轉致一信與盧瑋鑾道謝。」一九七五年五月，父親終於與盧瑋鑾直接通信了。在他的通訊冊上又多了這麼一條：「盧瑋鑾（女），香港旭初道六號四樓。75.5.30 來信，欲為我作傳，並寄來我舊畫解說，作傳復謝，贈陶詩『盛年不重來』。」事後才知道，爸爸那封信並未到達盧瑋鑾手中。從此，通訊冊上再也沒有盧瑋鑾的消息。三個半月後，爸爸告別了人間。

——豐一吟〈寄語明川〉，見《天於我相當厚》，上海：上海遠東出版社，二〇〇九年。

❖ 圖：豐子愷通訊冊上有關覆謝明川的紀錄。旭和道似誤書為旭初道，或因此而信函寄失。

❖「豐子愷兒童圖畫書獎」旨在表彰作家、畫家創作優質華文兒童圖畫書；鼓勵出版社出版原創兒童圖畫書；促進公眾重視原創兒童圖畫書及其閱讀。

——豐子愷兒童圖畫書獎網頁：https://fengzikaibookaward.org/zh/about-the-award/

記起新亞夜校

記憶真不可靠，我很怕那種彷彿記得又似迷失的朦朧印象，蕩蕩悠悠如水中看影，隱隱約約像透過磨砂玻璃看人。走過桂林街，咦！新亞夜校該在哪裡？是在桂林街還是海壇街？

一九六一年，我進新亞第二年，同學謝正光說師兄們秉承新亞精神，在深水埗辦了一所新亞夜校，給失學兒童上學。那時候香港政府不關心兒童教育，平民區太多童工夜間想上學。要找義工任教，女生日多，需要一女教師，我傻裡傻氣沒問在甚麼地方就答應了。第一夜上學，才知道上路艱難。今天的人，恐怕無法想像當年的交通狀況。由農圃道新亞下課，我要坐車去佐敦道碼頭巴士總站，轉車去深水埗，在長沙灣道下車，走到桂林街或海壇街上課，九點多鐘下課，又得逆向到佐敦道碼頭，渡海到灣仔，再乘巴士到北角英皇道，走到渣華道回家。車船班次甚疏，回到家已是深夜。

那一年夜校教學，教了甚麼，誰是校長，我全忘記了。回想起來，印象最深的應是在工廠上了整天班，仍認真提起精神來上課的小學生，清朗的面容，印證了他們是奮發而吃得苦的六十年代人。他們準時上課，很有禮貌。隱約記得好像還有些課餘活動，搞了個文藝晚會，學生站出來念唐詩宋詞。

為甚麼我會印象模糊？大概那是個沒有嚴謹組織的活動，大家只承接老師的新亞精神，各行其事，不問情由，做了就安心。

誰還記得六十年代新亞夜校在哪條街上，請告訴我。

——刊二〇〇八年九月六日《明報》副刊「一瞥心思」專欄。

新亞夜校故事的延伸

誰還記得六十年代新亞夜校在哪條街上？如此一問，謝謝黃乃正院長寄來一九六〇、六一年的《新亞生活雙周刊》複印資料，夜校彷彿到了眼前，一切清晰了。

果然首設在桂林街六十一至六十五號，一九五二年由列航飛先生創校，那兩份材料，為夜校留下珍貴面貌。我這個匆匆參與的教師，竟不知道程兆熊老師為夜校寫了校歌歌詞，又舉行過二百人出席的畢業典禮。細讀余開瀅寫的〈新亞夜校近況〉，實在覺得在政府對教育毫不著力的環境下，民間興學的力量，這是個範例。

現在想起來，在新亞夜校當過義務教師的經歷，竟然無意間潛入了我們的血脈裡，日後在社會擴展開發。六十年代末，嘉諾撒修會的周修女，有感於當時教育政策沒有照應失學童工，設法在貧窮地區試開夜校。在新亞夜校當義工的陳志誠師兄在香港仔為她開設培德夜校，我則在筲箕灣創辦嘉諾撒夜校。這兩所夜校，都是為了支援失學童工。相信還有許多我不知道的新亞人在不同地區，默默耕耘。

列航飛師兄，請領頭把新亞夜校的故事組織起來，讓民間興學的精神一脈流傳，讓人記住當年如何在毫無資助下，一群大學生社會服務的艱辛。

這樣做，不為突顯新亞精神，而是證明社會需要「仁」的心思，才可填補物化功利過分擴張的缺陷。故事證明當年大學生並不向社會苛索甚麼福利，但求盡一己之力，為社會做可做的事，這也是值得今天的大學生思考反省的。

——刊二〇〇八年十月四日《明報》副刊「一瞥心思」專欄。

關注．大澳

家事國事天下事，事事關心。信奉了這句話的人，日子注定不好過。

這地球村，人類自作孽的事太多，災禍前所未有，卻輕率一句：百年一遇，便交代過去。也難怪，像范仲淹先天下之憂而憂的官難能可貴，現在連後天下之憂而憂的官也不易找。

本來平靜相安無事的大澳，一旦風急浪高，就受盡災磨。災後我沒去過，各大報刊，可能近日連天蓋地的驚人新聞太多，沒人力也沒時間去追訪劫後餘「生」——一切生民現況。除了在商業電台節目《在晴朗的一天出發》中，不斷獲得跟進消息外，我所知不多。

政府對善後工作進展得慢，自多年前棚屋火劫後就已顯示了，甚麼保育自然環境、愛護文化遺產，只是報告上一紙空言，最後還是靠民間社團的助力和本地愛鄉的居民自力更生，才重現生機。

在報上看見黃惠琼女士的一臉無奈，和她身邊給海水浸毀的「大澳文化工作室」的展品，真為她難過。支持一所展室，但憑一股傻勁，實在不容易。儘管有人說那太像雜架攤，沒甚麼系統，我倒覺得民間蒐集，並不如學院派的嚴謹，卻在雜亂中存著天真，充滿對鄉情的關注，偶存一件舊物，也可能飽含民生故事。這份感情，不是外人能明白。如今報廢了的展品，恐怕又要從頭尋覓，但願黃女士不氣餒。

政府先別搞甚麼活化，趕緊先解決水浸問題和水浸後遺症，據說垃圾還未見及時清理，民生仍未納回正軌。請跨部門合力，做好災後復修，別因大澳人聲音弱，就放手！

——刊二〇〇八年十月十二日《明報》副刊「一瞥心思」專欄。

❖ 證

❖ 二〇〇八年九月二十五日《明報》港聞版：〈風暴來襲　大澳水鄉變澤國〉，內文報道：「颱風『黑格比』襲港，帶來連場暴雨，適逢潮漲，形成風暴潮，令本港海面水位較平常高出1.2米，多處低窪近岸均出現海水倒灌造成水浸。其中有水鄉之稱的大澳，繼二〇〇一年受颱風吹襲發生嚴重水浸，昨凌晨再度變成澤國，多處水深更達一層樓高，多名居民被困家中，須由消防救出，幸無嚴重傷亡。」

❖ 二〇〇八年九月二十五日《明報》港聞版：〈展覽室藏品盡毀　黃惠琼落淚〉，內文報道：「大澳除以海味及蝦醬馳名，不少遊人更會前往蒐集大澳文物的『大澳文化工作室』參觀，體會濃厚的地區文化，詎料『黑格比』一夜吹襲，幾乎把內裡所有文化財產全部摧毀浸濕。工作室負責人黃惠琼望著濕漉漉的『災場』大嘆：數月前的黑雨已試過一次，元氣大傷，今次不打算再維修，太貴了……」

終於到了長白山

遲了五十多年，我終於到了長白山！

故事得先由母親長病三年說起。母親去世前，不知道患了個甚麼病，怕風怕光，羸弱不起臥床三年，中西醫藥用過，還是毫無起色。那三年，家裡不能開窗，黑沉沉，一家人困在房子中，有點像《雷雨》的周家。我除了上學，就陪在床邊，聽母親用細弱聲音為我講歷史故事和世界大事。偶然要陪她出外看醫生，必定擔驚受怕，因為她不止一次在街上暈倒，對十二三歲的孩子來說，那恐懼經驗永誌難忘。有一回，張伯常中醫師說要醫好病，最好服用長白山人參。母親說家窮，吃不起。這是我第一次聽見長白山三個字。回家問母親甚麼是長白山人參，母親就詳細告訴我許多白山黑水的故事，除了人參，還連帶講了日本侵略東北的事件。從那時起，我記住長大了要去長白山買人參給母親治病。

三年後，母親沒吃人參，在瑪麗醫院動過手術便去世了。

儘管香港早可以買到長白山的上好人參，等到我不窮，有足夠錢買，母親墓木已拱，去長白山，成為我對母親未完承諾的心結。

遲遲未去長白山，只因成團不易。最近長白山成為旅遊熱點，辦團多了，可是自己體弱，怕上高山，熬不住，會連累他人，總有些猶疑。但想想今年再不去，恐怕以後更難上山了。

終於，我艱難踏上長白山的北坡、西坡、南坡。沒見培植人參的場域，只在供遊客購物的店中，看到「百草之王．萬藥之首」的人參。

沒買人參，我到過長白山。

——刊二〇〇八年十月二十五日《明報》副刊「一瞥心思」專欄。

被遺忘的人

今年十一月是徐訏先生誕生百年祭，給劉紹銘先生稱之為「憔悴斯人」，帶著鬱鬱不樂面容的作家，離世已經二十八年了。

客居香港五十多年的他，《鬼戀》、《風蕭蕭》、《蛇衣集》、《盲戀》等幾十種作品，成了高小、中學生的愛讀書，我都讀過。一九六三年，他到新亞書院中文系當講師開現代小說課——新亞一向不開現代文學課，我也沒有選修，只慕名旁聽。他毫無表情的樣子，低沉的聲音，嚇怕了學生，我聽了幾堂，就沒去。他倒沒責怪，反常常找我喝咖啡。他喜歡到灣仔高華酒店的咖啡室，第一次見他進來，竟戴上白手套，那不是香港人的習慣。最奇怪的是他坐下來，面對面也沒太多話講，我至今想不起他講過甚麼重要的話。後來，偶然會嘆氣說香港沒可交的朋友，說文壇乾枯。

七十年代末，內地剛開放，他兩次主動要我代約見朋友。一次是約見黃苗子郁風兩位，見面話也不多，幸而黃郁兩人都善談，且相隔幾十年，有說不盡的話題。另一次約見戴望舒太太楊靜，那一次很特別，一見面，他就問「你記得我嗎」，往後他們用上海話交談，我聽不懂，只見他們神情嚴肅，看來敘舊有點不歡。

他在香港，其實不是沒影響力：先後辦了《幽默》、《筆端》、《七藝》。在浸會任教，他似乎比在新亞受歡迎，又辦筆會召集過一些文友。可是，他那木訥與憂鬱，不與人群的個性，真令他寂寞一生。正如他自己說：在人生找尋空隙，卻未見成功。

多少老讀者記起他？更別說年輕一輩了。

——刊二〇〇八年十一月二十二日《明報》副刊「一瞥心思」專欄。

參

❖ 給研究者說成浪漫派的徐訏，在小說作品以外，他憂鬱面容底下隱藏著極其另類的個性。有人認為因為客居香港，與此地生活格格不入，他才會如此不歡，形成了翳障不平衡的心態。其實不然。他一貫對人、社會、政治，都別具己見，毫不妥協，不顧情面。當年他寫文章指摘唐君毅老師，我一點不感出奇，他只是把藏於內心的看法，揮筆直書而已。早年，看過他的浪漫小說，再讀《蛇衣集》，就清晰可見隱藏另類個性，蛇衣的寓意也在此。

——小思〈另類個性的徐訏〉，見二〇〇八年十一月二十三日《明報》副刊「一瞥心思」專欄。

硬頸精神

到台南，自有一番心事：去參觀「國家台灣文學館」。

那座一九一六年建成的西洋老式大樓，本是日治時期管轄整個台南州的衙署，戰後供地方政府辦公之用。台南近年以「舊建築新生命」為復修目標，在舊建築旁巧妙建成一幢五層高的現代洋式樓房，巧妙處在於樓不能比舊建築物高，故需掘地，把三層藏於地下，連體嵌入舊建築物中，外觀幾乎無法察覺新舊不融的突兀。

二〇〇三年十二月十七日正式營運的台灣文學館，今天看來，館藏豐富，也多元展示。常設展區，足以扼要鋪陳了地域文學發展的線索。其他展室，作家手跡、刊物、作家書房重構等等，都給參觀者留下深刻印象。

在種種原因而有意無意忽視歷史資料的地方，做過文學資料蒐集的人都痛切體會，要儲存、整修、排檔、運用，實在艱難。站在前輩鍾肇政先生的題字前，我感受至深。「發揮硬頸精神」！他最初在萬般艱難的情況下，以個人能力蒐集台灣文學資料，就憑硬頸精神，拼搏向前，成就事業。台灣文學館建立起來，我相信當非一個人硬頸即成，箇中阻滯，也不是外人能夠明白。現在文學館有中央政府財政人力支援，硬件配套完備，畢竟，人家政府重視了，但鍾先生還說要發揮硬頸精神，其堅持之難可知。

我默然注視硬頸精神四字，想到三十多年來，自己獨力整理香港文學資料，並無悔意，恐怕也靠一股硬頸精神。也許天憫吾誠，在退休前，得到中文大學圖書館的幫忙，為資料謀得一良好棲身之所，並獲愛護香港文學的人支持。

我信，硬頸的效用。

——刊二〇〇八年十二月七日《明報》副刊「一瞥心思」專欄。

❖ 證

她是在二〇〇二年六月六日捐出全部書刊的，披露捐贈心情，她直道「六月六日斷腸時」，並笑說老朋友都不相信她這般瀟灑，甚至悄悄問她有沒有私自留下部分資料。縱有不捨，她仍十分高興替「女兒」覓得好人家，至於未來「丈夫」如何對待，雖不得而知，但她毅然做了起步的工作，希望香港文學日漸受重視，後繼有人。如此決斷、毫不保留地捐出材料，是因為亦師亦友的黃繼持去世的觸動，她希望在有生之年，及時做好要做的事，不要留下沒法彌補的缺憾。「何況二十年前，我自己已提議圖書館收藏香港文學研究資料，但一直沒有動靜，現在雙方一拍即合，豈可錯失良機？」

——陳芳〈與香港訂下一種愛恨交纏的關係——專訪盧瑋鑾教授〉，見二〇〇三年十一月《文訊雜誌》。

我不哼聲的理由

終於有人按捺不住問我：「香港教育政策改來改去，要命的花樣天天新款，你怎能一點意見也沒有，不哼一聲？你還算是個教師啊！」

從事教育工作幾十年，我對香港教育政策，的確沒哼過一聲。

港英時期，殖民地政府沒有義務教好中國人中文，是理所當然的。但英國人總有一套聰明統治政策：有些對管治有利的原則暗地裡執行，明在桌面上的，就放手任由處其事者好自為之。教育政策也如是，殖民地子民有甚麼好哼聲？我是讀中文中學的，老師水平高，甚麼教育改革，對他們沒有影響。鄺慎彷老師，要我們用厚厚一本英文生物科書作課本，上課時卻用中文講授，我們既懂英文又懂中文，會考成績好得很，當年的教育司署也從不來干預，一切順其自然。社會上重英輕中的情況，不是沒有，可是殖民地官員從不會蠢得擺明車馬說要子民學好英文，我們自己做好份內事，就不哼聲了。

好容易等到回歸祖國，以為教育事業終可守得雲開，抬起頭來見天日。誰料自己人的政策花樣遠比外人多，非專業的教育決策者隨心任性制定各種政策，不問情由，不理民情，就急行改革，弄得學校、教師、家長、學生人仰馬翻。忽然教改，忽然微調，那絕不是經過教育專家精心設計的長久之計，而是但憑掌權卻不高明的人一意孤行。最奇特是出了錯，誰也不必問責。面對如此這般的決策者，看他們的行為，我們不易以常理正道估計他們心中所想，既無法測度，便不知道該從何處入手說理，哼聲也沒作用，就只好不哼聲了。

時至今日，已經不是哼聲便可令他們改正的了！

——刊二〇〇九年一月十八日《明報》副刊「一瞥心思」專欄。

❖ **證**

五四運動是一場翻天覆地的改革，香港的教育改革也有劃時代的意義，小思老師個人絕對贊成教育改革，但認為無論在設計和時間掌握上，都沒有穩當、長久的推進層次，就像當年五四運動一樣。

要知道，改革不能一蹴而就，香港有的是時間，改革步伐不必過急。

——〈「五四運動」九十周年前夕與小思老師面談〉，見二〇〇九年四月二十日《教聯報》7期。

環保賀年

己丑新年開筆大吉。祝願人類消除心魔，遇厄滅厄，逢障跨障，一切從自身做好，自求多福，福及社群！

從前年關將近，就會細意營謀，設計印製好看賀年卡，一一寄給長輩好友，除了以表致候之意外，還可暗含「我尚好在人間」信息。近五六年來，已不再如此做，說環保，是個大理由，但還有另一原因。每逢收到印刷複雜精美賀年卡，接受寄卡者一番心意後，總傷神如何收藏。不忍看後即棄，蓄起來好幾個紙箱。日子有功，紙箱佔地甚多，最後只好有所選擇，餘下的切碎棄了。每做此事，都很難過。自小聽從母親說要「敬惜字紙」，大概就是今天環保的意思，故一向不亂用紙張，到今天，我會把餐廳紙巾，一分為四份用。廢紙背白頁也再用。印得如此好的厚紙，能否循環再造，實未可知。想到別人收卡，也會遇上同樣難題，就停了不再寄卡了。要寄也盡量減少，只寄給來卡的長輩。

電腦科技真好！近年已陸續收到電郵傳來設計巧妙的賀郵。今年收到一份很愜意的賀郵：畫面先現一樹禿枝，收件人隨意在枝頭擊點，便會開出朵朵梅花。隨心所欲，眼前紅梅怒放，好一派新春吉祥好氣象！

於是，我借得新科技，好設計，一一依著電郵地址，寄給友人，以表賀正心意。可惜長輩多沒電郵，無法奉上這好玩東西。

叫了多少年環保口號，這正好配合起來。各大機構，寄出既無抬頭稱謂，又無下款簽署的所謂禮貌式賀年卡，真浪費，倒不如請人設計深意存焉的電子賀卡，以達環保賀年效果。

——刊二〇〇九年一月三十一日《明報》副刊「一瞥心思」專欄。

❖ 證

作者送給朋友的其中兩款賀年卡。

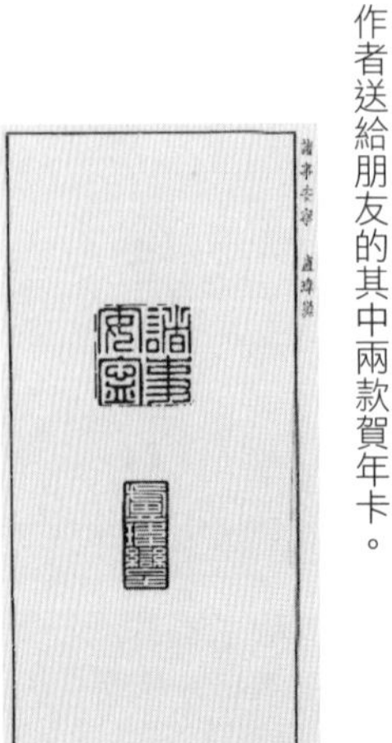

一百年前的修身教科書

香港教育欠缺修身科，只因部分教育學者認為「修身之說過於保守，束縛人性」，一談修身，就見迂腐。自由發展，才合人情。

修身，是否一定保守？且看一百年前教科書怎樣教修身。一本印行於光緒二十九年的《初級蒙學修身教科書》，設計就「藉遊戲之言行附述正義一二語，兒童讀之，既不致見書思倦，轉可啟發其活潑之精神，文學之嗜好，倫常之情性。關係至大，教員臨時當就寓意切實發明」。可見「遊戲、活潑」是重點所在。

舉些有趣例子看看。課文採簡易文言，依樣照抄如下：

「擇西瓜之圓者，畫無數虛線，形似地球，捉蟻居之，不得食，盡斃。學生思之，人不能謀生，何以居於地球之上。」「問：不能謀生者亦為地球之一分子否？」

「擲葦杯水中，旋轉如舟，以葦小，取桃葉代之，則拘塞不動。故事之成否，必得適宜之分量，強為之，無益也。」「問：強為之，何以無益？」

「桃花大開，兄與弟游於花下，一蝶來，弟撲之。兄曰：子愛花，蝶亦愛花，以己之愛情，破壞蝶之愛情，不恕甚矣。」「問：如何謂之恕？」

如以上例子，並不見得保守，且在設問部分，具備了開放式答案，任由學生思考作答。

商務印書館也在民國初年出版了《共和國教科書・新修身》，還出了教授法，內容就欠了上書的靈活設計。例如第一課〈職業〉：「貓捕鼠，犬守門，各司其事。人無職業，不如貓犬。」

我輩小時候，老師在課堂上常無意間講許多修身守則，也深入心中，如還有那麼活潑討論，想印象更深。

——刊二〇〇九年二月二十二日《明報》副刊「一瞥心思」專欄。

憶行山前輩

每遇高山而無力行走，不禁愧對當年教我行山的老前輩。

大學一年級開始就跟生物系同學去行山。系主任任國榮老師苛嚴無比，人人得準時抵達目的地。我個子小，遇大石而攀爬不上時，他從不加援手，只在旁說：「自己試吓爬啦！」等到我千辛萬苦爬到頂，他就半嘲半勉地說：「細路，咁咪終於得囉。」我永誌於心是他的冷磨練、熱鼓勵。

離開大學，當上中學教師，身子虛弱得很。往往不問情由狂流鼻血，又忽然暈一陣。認識《中國學生周報》文友李君聰，他每星期天糾集了一群人，如陸離、石琪、黃昭陽、香山亞黃等跟他哥哥李君毅先生的「山海之友」去行山，叫我也去鍛鍊身體。

每次我們都由李君毅先生和一群熱心服務行友帶領，走遍山嶺石澗。李先生步履如風，總是最早到達高點。等我氣喘如牛走到他身邊，他就有好多新鮮當地歷史、故事，做人道理、教訓說個不停。記憶最深，他有一次這樣說：「我和母親在太陽撫摩下，欣賞自然風景，很幸福。」我第一次聽到「撫摩」如此用法。而眾多旅程中，印象難忘是走麻雀嶺、登嶂上那兩程。

麻雀嶺沒路，必須半爬半攀，有些陡峭石壁，要由服務行友設繩索助力。我到半途，已無餘力。李先生在上面看見，再走下來，從後把我推上去。嶂上的天梯本來已經要命，那天竟遇大風雨兼暴冷，我們全身濕透，冷得發抖。李先生想盡辦法，請頂上村民煲些開水和紅豆粥給我們喝。捧著粗碗喝下一口熱水的一刹那，才知是寶。

兩位前輩先後離世，回想起來，也才知是寶。

——刊二〇〇九年三月一日《明報》副刊「一瞥心思」專欄。

❖ **證**

任國榮教授於一九五七年任教新亞書院並於一九六〇年應錢穆院長之請創立生物系並兼系主任，其執教新亞書院十五年之久，至一九七二年，任教授自新亞書院榮休，應珠海書院之請出任生物系教授兼教務長至一九八二年止。一九八五年三月，任教授偕太太李秀梅女士前赴加拿大定居，一九八七年四月十五日逝於多倫多。

——左丁山〈任國榮先生簡介〉，見二〇一五年四月三日《蘋果日報》副刊「果籽」「GG 細語」專欄。

❖ 李君毅是香港行山界老前輩，一九六七年創立「山海之友」，成為影響很大的老牌本地旅行隊，數十年來徒子徒孫眾多。七十年代陸離、小思等跟「山海之友」行八仙嶺，很興奮，然後我也跟隊，至今仍有行山癮。日前小思來電通知：李君毅去世了。……李君毅老年也很活躍，只是耳聾，見面時我們像啞子用筆寫字，他就大聲談笑風生。不過，好久沒有相會了。他生於一九一八年十二月，上月九十歲高齡逝世。

——石琪〈山海之友李君毅〉，見二〇〇九年二月十四日《明報》副刊「傾偈集」專欄。

❖ 一九八一年二月九日《香港時報》副刊李岱〈登山懷舊與戶外活動現代化〉一文，附照片一幀並說明：「上圖是一幅『懷舊』照片，攝於一九七二。右起蓬草、綠騎士，現在法國。中立二人乃小思和阿慧，已分別升任校長和任教中大。左起第二人是香山亞黃，已然結婚。左起第一人即本文作者，生猛如故。只可惜『天水圍』和拍攝者華叔（本港著名前輩行友余德華先生）都已經不再存在了。」

青山綠水應猶在
只是村園改

上圖是一幅「懷舊」照片，攝於一九七二。右起蓬草、綠騎士，現在法國。中立二人乃小思和阿慧，已分別升任校長和任教中大。左起第二人是香山亞黃，已然結婚。左起第一人即本文作者，生猛如故。只可惜「天水圍」和拍攝者華叔（本港著名前輩行友余德華先生）都已經不再存在了。

李岱

登山懷舊與戶外活動現代化

——「我見青山多嫵媚」漫談之二

工夫在大嶼山環着海岸
走了一個圈，又廿從大
嶼山的東北角起步用纖

潭是乾涸的，潭畔是喧
嘩的，潭裏和潭畔滿是
雞骨、空罐，附近的草

都有一個時間表限制着
只准作單一方向的行駛
，那時候往新娘潭旅行

新娘潭
不再寧靜

甘地精神

若不是一宗拍賣，鬧得沸沸揚揚，恐怕不會有多少人記得印度的甘地，更別說甚麼消極抵抗、非暴力主義了。

拍賣甘地遺物中，包括他生前隨身的：懷錶、眼鏡、涼鞋、一碗一碟。眼鏡涼鞋是他的突出標誌，可是為甚麼還欠了一支木杖和一台手搖織布機？

到過我家的人，都會看到一尊小小木雕像：架著圓眼鏡，身披麻布，腰繫懷錶，足踏涼鞋，一手拄杖，一手拿書的老人。不一定人人認得他就是甘地。

學校課程沒教印度甘地故事，我是從母親口中聽到的。四十年代，還未入學，母親天天給我講歷史，外國人物，她講得最多的是甘地。一九四八年一月三十日，甘地被刺身亡消息傳來，平日冷靜的母親顯得激動，她還剪存了報紙。小孩子不懂甚麼主義，母親那麼尊重他，他必然是個值得學習的人，長大後，我就讀了《甘地自傳》，又找了分析甘地精神的書來看，才明白他的思想。

在書中提及他學校時期和幼年生活，特別強調愛與真理部分，讓我留下深刻印象。等到我當了老師後，再讀他〈精神訓練〉一章，更堅定了我對教育的信念。人家以百多二百萬美金買回甘地遺物，當老師的我們，今天可不必費一文錢，到網上讀好這一章，想來比那百萬美金更寶貴。

今日，世界物質文明過分超越了人類精神文明，身處道德準繩淪喪，真理埋沒，慾念狂流的當下，我們已瀕山窮水盡之際，何不想想甘地的三種德行：真理，仁愛，淨行。再想想孔子的三達德：智，仁，勇。這些智者深思熟慮得來的道理，或可作救世圈，拯救世人於水火之中。

——刊二〇〇九年三月十五日《明報》副刊「一瞥心思」專欄。

證

❖ 二〇〇九年三月三日《明報》國際要聞版：〈甘地曾孫促英國歸還王冠鑽石〉，內文報道：「印度獨立領導人甘地的曾孫圖夏（Tushar Gandhi），繼早前發起行動欲阻止甘地多件遺物在紐約拍賣外，日前又呼籲英國將本屬印度的英王冠上的『光之山』鑽石歸還。但全球著名鐘表拍賣行安提古倫拍賣公司昨稱，有關甘地遺物的拍賣仍會在後天照常舉行。」

自從有了手機後

手提電話出現，改變了無數生活形態，也增加了不必要的人際矛盾問題。

青年一輩沒經歷過借用電話的艱難，五十年代要裝電話，幾乎要出盡人事辦法，甚至要行賄，電話是珍品。六七十年代進步了，商店電話可借用，但仍有「孤寒」店舖把電話藏在隱閉處，或標明「電話恕不外借」、「限用三分鐘」。在街上遇有要事，得沿街東瞄西望，看哪家店有電話可借，走進店內，低聲下氣說：「唔該借電話用用。」正因如此艱難，人際相約，必然一言講定時間地點，絕不改變。

今天，人人有了手提電話，邊走邊講，已是常態。我們已習慣「到時通電話啦」。有一次，我忘了帶電話，就十分狼狽，想向店舖借用電話，才發現原來沒幾家店會擺固網電話。而那天，竟若有所失的不安。

拿起電話的用語，早在不知不覺間改變了。從前，「喂，搵邊位？」或「喂，我係某某。」現在不必多講，熟人都在手機上示號了。反而多說：「你而家喺邊度？」或「你去到邊？」或「而家方便講兩句嗎？」或隨時通知對方「我塞緊車」，遂安心遲到。

手機功能愈來愈複雜多樣化，結果產生的問題也非前人可想像。馮小剛的《手機》大概已詮釋了許多。由於可翻查通話資料、可留言、可飛線、可偷線……一切秘密無所遁形，不必要的誤會也因此而生。最奇怪的是人對擁有手機者有一要求：「我打電話找你，你一定要聽得到。」不止一次，我因忘了取消飛線或啟動了靜音，接聽不到打來的電話，惹得對方生氣。

短訊，更是靜默的呼喚。甜言惡語，廣告資訊，盡在小光屏中。

——刊二〇〇九年三月二十八日《明報》副刊「一瞥心思」專欄。

香港文學的寄身處

認真研究香港文學的人真痛苦萬狀！套句通俗話是「巧婦難為無米炊」。

嚴格說，香港沒有完全專業作家，文化人為了謀生，往往寄身於報紙編輯部、副刊專欄中。特別在四十至五六十年代，他們只求刊出作品以得稿酬，幾乎不擇棲身之所。大型報紙如《星島日報》、《星島晚報》、《華僑日報》、《工商日報》、《明報》、《大公報》、《新晚報》、《成報》等等當然是理想寫稿園地，但此等大報副刊，各有山頭領主，地盤分布已成定局，外圍寫作人不易分一杯羹。何況稿費微薄，許多已有專欄的作者，還得往別的地域尋求空間，於是，小報如《今夜報》、《正午報》、《喜報》、《新聞夜報》、《銀燈》等，也有名家棲身。肯開放接受新人的報刊不多，《新生晚報》、《天天日報》、《快報》、《晶報》算勇於採新，就可稍見新鮮名字。不過無論怎樣，這些報紙於今已不易見到。

大學圖書館、中央圖書館內，別說不存小報，大報也不齊全。我努力蒐尋小報，偶得一兩份，副刊中見了名家作品，都歡喜一陣，以為獨得之秘。例如娛樂報《銀燈》長期刊有劉以鬯先生譯述的西洋小說，要研究劉先生，這應是不可欠缺的一塊。可是認真研究起來，少數幾份資料，作不了準。

香港舊報刊，是香港文學的寄身處，研究香港文學最豐富的寶藏。可惜，報紙恍如過眼雲煙，看罷便成廢紙。有心人即使剪存，也多屬零篇斷簡，既缺報名，又欠日期，捧讀了惹來心痛。

研究舊報紙，是件大工程！尋找舊報紙，是件更大的工程！

——刊二〇〇九年四月五日《明報》副刊「一瞥心思」專欄。

雨燕啁啾

該感謝建築師司徒惠先生設計的清水混凝土中大圖書館，質料與簷底角度，都為雨燕營造了舒適的家址。據雀鳥專家詹肇泰說，那裡容下全港兩三成的雨燕。

三十年來，小燕在那裡一代傳一代，生息期間，帶來自然生趣。

我進中大首十多年，不知道晨昏匆匆飛舞的小燕子叫雨燕。我幾乎每天都抬頭看牠們一陣子，總覺得急促飛翔很擾人，特別風雨前夕，那種躁急呼喚，令人不安。仔細觀察，原來牠們不習慣直飛回巢，往往旋飛一陣才抵家。中國詩詞用「啁啾」形容鳥聲，「啾，小兒聲也」，「眾聲也」，大概指尖銳而眾多的聲音，這足夠描繪眾群雨燕的聲量了，比「呢喃」更恰當。

有幾回，圖書館朝南簷下的燕巢外，垂絲倒吊著燕屍，隨風搖動，很淒涼。可是沒幾個過路人會停下來看看。忘了哪一年，中國作家在祖堯堂開會，下午第一場快舉行，我遇見戴著怪帽子的詩人顧城也站在簷下看燕屍，看了一會兒，就進會場了。秩序表上他第一個發言，他竟說不依發言稿，即興講了燕子的故事。可惜當時沒做筆錄，如今已全忘了他在說甚麼，只記得會後大家都訝於他不守會場程序。不知道當年與會人有誰記下他的講詞，那應該是一段淒然文學作品。

昨天回到校園，看到好心人為雨燕做的假巢都在，樣子有點怪，雨燕未必喜歡。「假」字真諷刺，原來世界已面臨甚麼都「假」的地步了，自然界生物如雨燕，某天回巢，發現真家毀碎，旁有假家，該有多少疑惑與驚詫？

終身不著地的雨燕，會到何處啁啾？

——刊二〇〇九年四月二十五日《明報》副刊「一瞥心思」專欄。

證

❖ 二〇〇九年四月十日《明報》MP+版：〈中大築假巢　雨燕有家可歸　救燕措施配合圖書館擴建〉，內文報道：「近三十年來的每一日，經過中文大學圖書館的教職員和學生，都會聽到『啁啾』的聲音，細究之下，聲音是來自寄居圖書館屋簷下、最少二百五十隻的小白腰雨燕。為配合大學擴建工程，圖書館北面的十五個燕巢的雨燕即將面臨『調遷』，中大已設立三十個『假巢』，希望被迫離開家園的雨燕遷入。為期六年的保育計劃，預算要二十多萬元。」

前事不忘

二〇〇九年五月一日晚，坐在熒幕前，我忽然毛骨悚然，心跳如奔馬，二〇〇三年四月一日晚上，直播新聞的影像，倏然在腦中交閃重疊。灣仔維景酒店門前抑或淘大花園門前？事隔六年，面臨那場魔魅般瘟疫，人們的無知與無助，形成暗夜行路的恐怖，至今仍清晰難忘。

犧牲者的家屬、雖康復卻患嚴重後遺症的病人，一定比我們更震動。一般不善忘的香港市民，也應該記起埋在口罩下的陰霾日子。

自從熬過 SARS 後，大部分香港人應已深受教訓，懂得自保之道，出外吃團餐，要求公筷，已十分自然而普遍。今回在上海機場，只見港人團隊戴上口罩，鄭重其事，也是一例。當然，仍有不少人毫無遮掩打噴嚏、咳嗽，不過，惹來討厭目光逐漸多起來。教育，付出的時間與代價真多！

積聚經驗，政府行政部門也學乖了。迅速發揮團隊精神，決策反應之快，是近年罕見。

多年來難得一次與政治無關，又有前事為師的決策，該做就做了！

儘管怎樣做，仍有人批評此乃作秀，沒有必要如此「大陣象」，封鎖酒店，但別忘了當年九龍國際京華酒店悲劇，和那名只不過與超級帶菌者同升降機便染病的不幸者。何況，目前疫情不明朗，全世界的真正專家都在實驗室中努力研究，還不知道真正狀況如何，我們先別重蹈當年輕率覆轍，防患未然，有何不對？很怕那些並沒研究卻扮專家權威的人，出言飛快，令不用腦的人信以為真。

一切措施，會給一些受牽連的人帶來諸多不便，政府宜小心處理。我們也應不忘前事。

——刊二〇〇九年五月九日《明報》副刊「一瞥心思」專欄。

證

❖ 二〇〇九年五月二日《明報》要聞版：〈酒店入住率爆滿 三百人要隔離七日〉，內文報道：「首名確診的墨西哥患者，到港後曾入住的灣仔維景酒店，昨晚起需要即時封鎖，二百名住客及一百名酒店員工需要隔離七天。食衛局長周一嶽解釋，由於甲型H1N1是新病毒，所知不多，為確保他們的同事、朋友和家人不受感染，政府須採取較嚴厲做法，希望他們諒解。他並呼籲其餘住客回酒店登記，當局會提供特敏福，若他們離港，入境處亦有權力禁止他們。確診墨西哥患者前日抵港後，於當日下午與兩名友人入住維景酒店後感不適，晚上七時在本港友人陪同下到醫院求診，之後被隔離。雖然他並無外出，但由於他在酒店逗留了五至六小時，故政府昨日引用特權法封鎖酒店。」

不必遮臉的青年人

兩三星期內，連接在電視新聞台看到青年吸毒的消息和畫面，他們給送去醫院或押上囚車時，都遮住臉，是為了保護私隱呢還是見不了人，為了自知羞愧呢，或是保證下次再犯，沒人認得出我？種種原因，複雜得很，一時不易理解。有時傳媒訪問吸毒、戒毒的青年，又會在他們臉上打格仔，大概也相信受訪者就是「見不了人」。

正因這樣遮臉的青年人愈來愈多，我看見正生書院的青年人堂堂正正站到眾人前、鏡頭前，並不遮臉，這真是一件「偉大工程」。

偉大工程可分兩部分說。校長的教學理念很重要，學生犯過錯，給他們機會悔改歸正。在這過程中，必須對學生有信心。而另一部分是校長的說服力一定很強，學生對他有信心，對自己也有信心，才足夠勇氣站出來，顯揚著：「是，我錯過，我知錯，正在改。我不怕你們認得我！我會改好的！」

幾次看到這群不必遮臉的青年，我特別注意他們的眼神。就算那天在甚麼諮詢大會上，備受委屈，他們眼神仍是堅忍的，儘管流著淚，他們並不逃避那些人的指摘。可能他們心裡會不忿，或抱怨梅窩居民的不包容，但在聲勢洶湧的群情下，仍保持冷靜，我可以想像校長平日做了多少工夫。

這次風浪，是最真實最有力的教育。經得起這次考驗，我深信他們會更成熟，更理解社會的複雜，明白重生的路是要自己堅強才能走。

有人批評校長不該讓青年到會上受委屈，但我倒認為，那群青年早已受過委屈的磨練，這一關必須過，過得了，以後就不必遮臉，堂堂正正做人！

——刊二〇〇九年六月二十八日《明報》副刊「一瞥心思」專欄。

❖ **證**

二〇〇九年六月二十二日《明報》教育版：〈正生學生哭了「我們是真心改過」 個人成長與人際關係：改過自新 融入社會〉，內文報道：「正生書院申請遷往梅窩空置中學遭當地居民反對，在政府舉辦的諮詢會中，居民情緒激動，經常報以噓聲、中斷講者發言，又突然安排數十名小朋友手持橫額包圍正生書院校監林希聖、校長陳兆焯，警員兩度介入調停。正生書院安排二十多名穿著整潔校服的學生到場，全場靜默展示他們是一群改過的學生，以遊說居民。十六歲的阿菁是其中一名到場學生，她嘗試遊說居民，但一度被噓聲嚇至眼泛淚光。阿菁當日往洗手間時，聽到有人稱呼她們『這群「吸毒妹」』，心裡很難受，她表示很想說一句：『我只是曾經吸毒，現在已經戒掉了。』另一名早前接受訪問的郭同學因盜竊等被送到正生書院，經過半年反省已慢慢重回正軌：『我們是真心改過，為何不給予我們機會！』他感到梅窩居民對他們存有誤解。」

二○○九年

送季羨林先生

竟未及「相期以茶」，先生去矣。

二○○○年先生在《九十述懷》中，瀟灑揮毫，寫下「不管怎樣，反正我是非走上前去不行的，不管是墳墓，還是野百合花，都不能阻擋我的步伐。……下一步就是『相期以茶』了。……等到我十年後再寫《百歲述懷》的時候，那就離茶不遠了。」（稍注一下：這是中國拆字法，茶字拆開是廿八加八十，等於一百零八歲。）大概先生也並非斤斤於百歲長壽，因為在同一文中，他說：「我活得太久了，活得太累了。……我也真想休息一下了。」不過，在健康還容許他動筆時，他仍黎明前幾小時起來，五點鐘吃過早點後，就孜孜不息動筆寫作。

且看他如何以八十高齡，兩年中寒暑風雨無礙，每天跑進圖書館，十多年內完成了八十萬字的《糖史》，還有其他學術論文。此外，他不斷寫下許多情理兼融的生活散文。久歷風霜的大學問家，寫起散文來，不酸不腐，也不賣弄，常見自省自嘲筆墨，這實在不容易。他在《老年十忌》一文中，提出老人該注意十項不應做的事情：說話太多、倚老賣老、思想僵化、不服老、無所事事、提當年勇、自我封閉、嘆老嗟貧、老想到死、憤世嫉俗，項項舉例都正中要害，給老人最好的提醒。九十歲筆下道來，真夠力。

他說自己寫的東西是叫人「讀了以後至少能讓人獲得點享受，能讓人愛國，愛鄉，愛人類，愛自然，愛兒童，愛一切美好的東西。總之一句話，能讓人在精神境界中有所收益。」果然，他都做到了。

「人一死就是涅槃」，先生盡力實現了生命的價值，花落還開，水流不斷。我在此頂禮。

——刊二〇〇九年七月十八日《明報》副刊「一瞥心思」專欄。

❖ **證**

二〇〇九年七月十二日《明報》中國專頁版：〈國學大師季羨林病逝　享年九十八歲〉，內文報道：「著名國學大師季羨林昨晨九時左右在北京的解放軍301醫院病逝，享年九十八歲。季老一生成就斐然，著作等身，他的逝世被形容為『一個時代的結束』。季老晚年長期住院，國務院總理溫家寶曾五次探望，聞悉季老逝世後更即時趕到醫院。……季羨林，字希逋，又字齊奘（取意向玄奘看齊），一九一一年出生於山東臨清市康莊鎮，他身兼著名的古文字學家、歷史學家、東方學家、翻譯家、佛學家，精通多種語言，被認為是繼王國維、錢穆、陳寅恪之後中國國學的代表人物。」

二〇〇九年

致灣仔街市

天氣還不太熱的日子，我會在灣仔逛街。走過皇后大道東，按往常習慣，總在你身前起步。

自從你結束工作生涯以後，我仍偶爾去看看你。

忘記了哪一天，赫然發現你的前半身體，給大塊大塊塑膠布包裹著。每塊塑膠布形成了一個個格子，頂端竹竿外露，顯然布料是緊附在外邊看不見的竹棚上。我還有好心情，忽然聯想克里斯托與讓娜·克勞德夫婦，一時間甚麼興致，到香港來，看上了你——一座已有七十二年歷史、包浩斯人的心血遺愛，透過英國殖民地工務局的工程人員的設計，那麼鄭鄭重重興建起來，給灣仔市民買菜的街市，就把你跟德國柏林的國會大廈同等看待，密密地包裹好，成為一件包裹藝術。

那天有風，把格子布料吹得鼓脹，細心聆聽，聽到陣陣輕微「服」、「服」聲響。

我站在馬路對面，想起從前正門透出的光線，彷彿微聞瓜菜雜亂交錯的氣味。母親日常買菜，一向只到夾在軒尼詩道與駱克道之間的街市。有上蓋卻又半露天的街市，很平民化的小攤小檔，地上濕淋淋，走過會濺得一褲管污水。半露天形式，除了雞鴨檔散發着極難聞的禽糞味外，讓一切氣味都隨空氣流動散淡了，記憶中那個街市只有禽糞味。大時大節，母親就會到灣仔街市辦貨。你的格局門面都宏偉，我們進去，先得步上弧型梯階，你已有點高高在上的威勢了。母親總在後排攤檔買雞，奇怪，雞檔沒有禽糞氣味，反給瓜菜味蓋過了。那時你沒有裝上大風扇，也不見得翳熱，只是瓜菜味很濃。想起你，就想起那些氣味，至今忘不掉。如果氣味是個性成分，那麼，瓜菜味就是你的個性了。

後來，真的很後來了，友人說去你的樓上打乒乓球，我實在沒法子把你和乒乓球室連在一起，好幾次想去看看，終於沒去成，我想保住你原來給我的印象。

保住形體生命並不容易，我早接受了。試圖保住記憶，保得多久，也沒有保證。

二○○四年，有心人要求把你列為法定古蹟，延續你的形體生命。我並不寄望。所謂保育，在香港，不過是暫且騙人蒙混過關的技倆。你遲早避不過移形換命的劫運。我沒為你說過些爭取的話，因為這是命！

二○○九年五月二十日，黃衍仁用攝錄機拍了一段短片，放到YouTube上，在拆卸工人黃盔移動、風鑽刺耳聲中，我看到從未看過你的肉體。一個工人在你一條骨架上走動，專業人說那是當年最精優鋼材，果然，殘軀仍有硬骨頭。

風鑽聲把四周聲響蓋過，推土機碾過已有七十二高齡的泥土。我看見你殘餘肉體。我竟然流淚了。

我深信，你不想這樣子活化。

——刊二〇〇九年九月《明報月刊》「十方小品」專欄，作者署名小思。

立盡斜陽

「西風闌檻／西風闌檻怯初涼／底事悲秋／為憶起當時景況／舞衫歌扇正登場／噩耗驚聞／宛似地老天荒／知音云亡／知音云亡／琴心破碎／不願再踏紅氍上／二十載韶光／遺掛在堂／遺牋在案／流水高山今絕響／年年此際倍神傷／黃花香薦屯田墓／每教人立盡斜陽／立盡斜陽」

一九五九年九月十五日劇作家唐滌生先生猝然去世，陳襄陵、高福永兩位詞家，以御香、梵山為筆名，代白雪仙女士寫了這闋悼念之詞，粵劇名家陳冠卿，譜成新曲，並即席以二胡伴奏，仙姐以低沉淒然聲調唱出，我聽過，梟梟餘音，如今尚存心底。

今年九月，未起西風，更無初涼。年光流轉，斯人已逝去五十載了。

唐先生以壯年離世，畢竟是粵劇界一大損失。讀他的劇本——他的創作，文字可讀，作案頭文字本讀，毫不失色。常以不廣流傳為憾。這不單止為仙鳳鳴寫的幾齣名劇，他還有許多優秀作品，只因劇本流傳不廣，加上版權問題，多少年來，與文學愛好者絕緣，實在堪嘆。

唐先生善採明清戲曲、民間傳奇中某一精緻點，憑機智聰明，演化成文采斐然的另一齣戲。曾有人批評他的曲詞過於文雅，不合粵劇觀眾口胃，他們並不知道唐先生常以提升粵劇文化水準為念，希望帶領演員走上改良粵劇的道路，同時也令觀眾在觀劇過程中受到感染。事實證明，觀眾也不笨，好劇本，會令他們不明不明終於明。

五十年過去，粵劇劇本仍難見佳品，這不是沒有人在努力，而是才氣不逮，那真沒辦法。何況這種後繼無人的悲哀，非獨存於粵劇界，看內地其他戲種，也同一命運。

唐滌生，應屬香港文化一寶，惜未見後來人，教人立盡斜陽。

——刊二〇〇九年九月十九日《明報》副刊「一瞥心思」專欄。

❖ 證

一九五九年九月十六日《大公報》頁四：〈粵劇界同聲一哭　唐滌生今出殯下午一時大殮　安葬荃灣華人永遠墳場　遺下妻子及一子三女身後蕭條〉，內文報道：「前晚在劇場昏倒的唐滌生，被送入法國醫院後，昨晨四時四十五分不幸逝世。死因是腦充血。唐滌生現年四十三歲，遺下妻子鄭孟霞及一子三女。正在利舞台上演的『再世紅梅記』，是唐滌生的絕筆。仙鳳鳴台柱之一白雪仙，前晚散場後聞唐滌生病訊，曾暈厥在車廂中；昨晨再接惡耗，更傷心不已，下午三時左右到殯儀館弔唁，在靈前哀痛欲絕。」

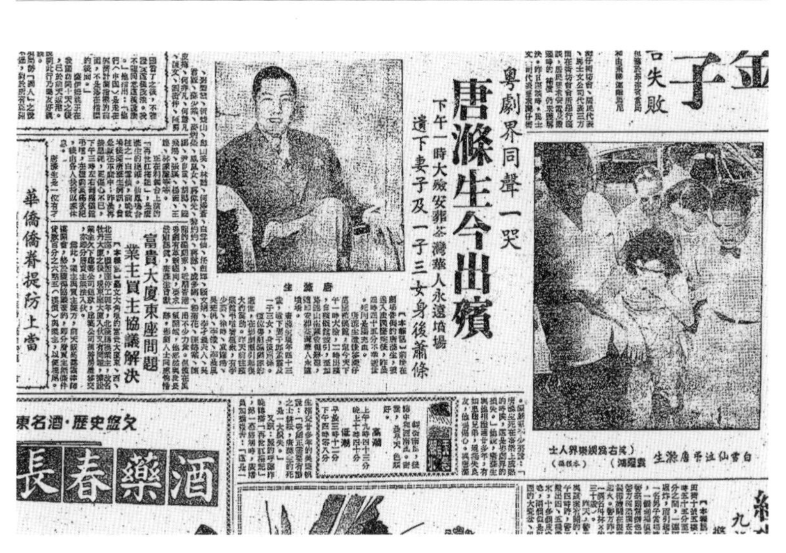

粵劇界同聲一哭

唐滌生今出殯

下午一時大殮安葬荃灣華人永遠墳場

遺下妻子及一子三女身後蕭條

唐滌生

富貴大廈東座問題

業主買主協議解決

華僑僑眷提防上當

長春藥酒

二〇〇九年

疾風知勁草

還未念小學，母親教我背誦唐詩，唯一不是唐詩的是秋瑾的《對酒》，順道也講了她的故事。「不惜千金買寶刀／貂裘換酒也堪豪／一腔熱血勤珍重／灑去猶能化碧濤」，孩子心中從此隱約有了英雄身影。等到初中一二，母親去世好幾年後，我讀到亞洲出版社出版于肇貽寫的《秋瑾》，秋瑾手執短刀的樣子、軒亭口回首四望有無親人來送，然後從容就義的片段，此時才深印腦中。

往後的日子，我讀馮自由的《革命逸史》，一個個有名的無名的、為爭取民族國運自由興盛，而不惜犧牲的中華兒女，構成近代中國歷史零散閃耀鏡頭。所以在台下看《遍地芳菲》時，喻培倫、林覺民……彷彿都是他們的肉身顯現。時年二十四歲的喻培倫，沒多話，卻一面沉鬱。無名的小子保生，隔著一扇門，對要生要死的母親，一字一淚道盡親情與民族大義的掙扎與悲情，這就是在疾風苦難中的人才能出現。

風和日麗，芳草欣欣，過路人只覺理所當然。疾風狂掃後，竟見小草猶存。看似柔弱的小草，平日並無動靜，只有風吹草動，方表露了強勁的生命力。一輩子都在平靜過活的我們，實在難以理解為甚麼會有人肯頂住風，一撥一撥前仆後繼。那種勁，恐怕在風平浪靜中找不到。

為國為民犧牲，是一個遙遠的名詞，是令豐衣足食、平靜過活的人存疑的行為。但禍亂當頭，就有人選擇比自己生命還重要的東西，走上活在平靜日子的人不能理解的道路。

我也是過著平靜生活的人，幸而從歷史紀錄中、文學作品裡、戲劇舞台上，深深領受勁草生命力，我感恩。

——刊二〇〇九年九月二十六日《明報》副刊「一瞥心思」專欄。

❖ **證**

為了紀念辛亥革命一百周年，香港話劇團將在九月把經典劇目《遍地芳菲》重現舞台，展現中國人的愛國心。小思近日在話劇團向一眾年輕演員及學生們娓娓道出自己的尋根情意結。「《遍地芳菲》讓不同的觀眾尋找適合自己的養分。二十年前看首演，聽了一兩句對白就入了迷，想到自己的身份定位。」她說。《遍地芳菲》以辛亥革命為主題，以黃花崗烈士的起義為骨幹，劇本描述當時中國的苦難年代，許多無名英雄抱著不同的動機來參與起義，當中飽含了愛國情、親情、愛情和友情。

——中新社記者陳伊敏〈香港作家小思尋根：不敢談愛國，只求做好本分〉，見二〇〇九年八月十三日中國新聞網，網上讀取：鳳凰資訊 http://news.ifeng.com/hongkong/

我怕「活化」

沒有考究過「活化」這個詞是怎樣產生的，甚麼時候官吏、發展商用得如此濫。

印象中，凡給公家「活化」的東西，總不分好歹死得不明不白，或化得臉目全非。「死了」才需要救活，救活必須有效地恢復原狀，或保持原有精神面貌，否則，不叫做「活」。

看過一套科幻電影，名字忘掉了，記得內容講一個人意外死去，科學家設法利用科學零件把他重組起來，果然成功，他「活化」了，可是他只是個像殭屍般的科學怪人，沒血沒肉，無情無感，不是人！每次聽到政府說把甚麼有歷史價值的地方「活化」，我就為該地方傷心，準備它會變得不倫不類。

萬物逃不過老去凋殘的生命定律，我明白世上只有永恆的憶念，難有永久的軀體。要盡力保存一條街、一幢建築物的原來面貌，就算愛舊如命的京都人，也只能追蹤一百幾十年的痕跡，不過人家認真，利用最優良技術，極力修舊如舊，不會拆舊再新建仿舊佈景。

每逢路過李節街，看見那幢佈景「舊唐樓」，便不是滋味，了無人氣，能起甚麼作用？它的存在，實在不明意義何在。近日大鑼大鼓講「活化」灣仔石水渠街的幾幢舊唐樓，我從不會稱它甚麼顏色的屋，在老灣仔人記憶中，根本沒有這種顏色，一出口說顏色屋，就洩露了年齡及灣仔人資歷。政府竟然以安全理由，給陡直樓梯換上新板，拆剩三片舊板，以便裝個樣子，好作交代。這與拆景賢里一樣，顯示了政策執行者心中所謂「活化」，不過搞個外殼，完全掌握不住歷史文化的要素。

經由政府或發展商插手的「活化」項目，我真怕入目。

——刊二〇〇九年十一月一日《明報》副刊「一瞥心思」專欄。

記憶之不可靠

有些香港文學研究者認為我常常只提《中國學生周報》，總不提《青年樂園》，未免偏心。這批評令我很難過。

二十二年的周報，在中文大學圖書館中差不多齊全，且上了網，隨時可以翻查，資料在手，落實可靠。可是，《青年樂園》除了阿濃捐贈的少數期號外，基本難見全貌。做該報負責人口述歷史時，就很難設題，而他們也單憑記憶，連有哪些作者都講不出來。這樣單薄資料如何談得上研究？我也是《樂園》的讀者和投稿者，只是想起來朦朦朧朧，哪敢說話。

最近購得《青年樂園》一九五六、五七年合訂本，翻閱之後，更證記憶之不可靠！原來，這兩年，編輯邀約了葉靈鳳、侶倫、碧侶等本地名家在寫稿。藍子（西西）、區惠本、黃耀華（香山阿黃）等學界作者曾佔篇幅，當年活躍分子陳坤耀口中的報社活動、科學版面，都一一呈現。別的讀者記不起來，還情有可原，我記不起來，真講不過去。

一九五七年六月二十二日，《青年樂園》第63期的第九版，全版是金文泰中學初中三甲毅青社同學作品。這一版是編輯放手讓中學生來編的，我就是負責人之一。讀著版中作品，只記得漢宗、柏雄是誰，柏子、君梅、江華，是誰的筆名，已經毫無印象了。這一期的前前後後，就是上面提到的名家作品，我讀過，應該記得，怎會如此一筆勾消？

研究之難，在資料缺乏。我看見一些人單憑記憶，從不核實求證，便信心十足的下結論。有些又或只截取能見度極少的材料，無頭無尾就寫成發展紀錄，這種全靠記憶，罔顧信實的寫法，委實貽害甚深。

應讓資料說話，別光信記憶。

——刊二〇〇九年十一月二十一日《明報》副刊「一瞥心思」專欄。

松柏之聲

鍾偉明先生，電台中人都稱他鍾大哥，我卻尊他鍾老師。

在今天眾聲喧嘩、雜論紛紜的廣播風格中，我懷念那堅挺穩定如松如柏的實在聲音和語調——那早在五十多年前就在空中教育我的聲音。

我們那一輩人，電台節目是唯一的公共娛樂。母親管教嚴，每天只容許我聽幾個節目，劉惠瓊的兒童節目、方榮、陳弓的民間、歷史故事、中原話劇社和其他話劇組的現代小說戲劇、鍾偉明的國術小說。這裡飽含了各種文化養料，主持人的深厚學養、直道中正的人生價值觀，盡在廣播中沉潛進入我的生命。

鍾老師以雄厚、清朗聲線，生動演繹了黃飛鴻、林世榮、洪熙官、方世玉、胡惠乾這些武術家的種種苦練成材的故事。母親一向對武術家的苦練過程，很重視，故讓我都聽了。記得只有一次，故事講胡惠乾三打機房仔，為父報仇，殺了許多人，母親就很不以為然，告訴我以暴易暴的不足取。正因這樣，我記住了名不及其他幾人大的胡惠乾。

我第一次見到鍾老師是一九五二年。母親首次讓我獨自外出參加麗的呼聲的兒童故事演講比賽。節目主持人是劉姐姐，甜潤溫柔的聲音，到今天仍是我們的永恆記憶。不知道鍾老師當時是甚麼職責，只見他安排我們參賽者試咪，教我們發聲高低。

往後的日子，鍾老師的聲音仍可聽到，也知道他退休後，依然繼續擔當培育後進的工作。偶爾在某些場合見到他，我們會談灣仔往事、敦梅學校舊蹟。今年八月十一日還見到他，他送給我一本刊物，裡面刊了他的訪問，我請他簽名留念。真沒想到這是最後一面。

在此，我深深悼念那如松如柏的聲音。

——刊二〇〇九年十二月十二日《明報》副刊「一瞥心思」專欄。

❖ **證**

二〇〇九年十一月二十九日《明報》港聞版：〈聽眾悼念鍾偉明〉，內文報道：「陪伴港人六十二年的『播音皇帝』鍾偉明，前日上班途中猝逝，昨晨香港電台第五台播出《大哥安哥永遠安哥》悼念節目，選播『鍾大哥』生前選取的歌曲及他錄下的《黃金歲月話當年》，熟悉的聲線再次在收音機旁響起，聽眾頓覺得大哥音容宛在。」

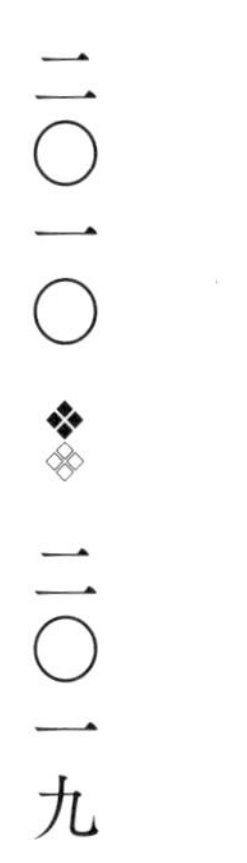
二〇一〇
二〇一九

重逢

◇獲香港藝術發展獎「二〇〇九年傑出藝術貢獻獎」

二〇〇九年歲末，是重逢的日子。

不知道巧合還是冥冥中機緣，十一、十二兩個月，小學中學大學的老同學都紛紛聚會，從外地重臨的多得很。說「老」並不誇張，人人一頭白髮，臉上布滿歲月滄桑痕跡。有人一別三四十年，入門初瞥，從不識與似識之間的猶豫，到握手言歡，一瞬跳接著幾十年故事，大家從對方眼神中搜索彼此往日交情。叫出一個名字，講出一段往事，都變成連線，立刻呈現大幅畫面，清晰如昨。我們也惦念著沒出席的人，不能出席的理由很多，但並不妨礙在座的人的思念。談起逝去的人，話中多是他們活著的時候留下的趣事，到這把年紀，唏噓，已非最佳抒懷方法，讓逝去的人仍活在記憶中，才能滿載。

我教過的中學大學的「老」學生也紛紛聚會，從外地回來的也很多。同處一地，不見幾十年極等閒，學生告訴我他們之間失散了二三十年，最近才艱難逐一聯絡上。用上「失散」一詞，真有點淒酸，在丁點小島上，卻人海茫茫，遇不上就是遇不上。學生帶來子女，十多歲的孩子臉，都令我想起當年課堂中他們父母的神色。在一個演講會後，座中有人說：「老師，我是你二十年前的學生，今天我帶我的兩個兒子來聽你講話。」驀地，我記起她敲門進辦公室來的笑容，我記起她的名字。二十多年未見，如今，我擁著她的孩子拍照，這也是重逢，隔代的重逢！在學生的子女婚筵上，見到盛裝的新人，忽然記起他們父母當年也同樣的風采，轉眼間又是另一代華燈盛宴了。

夢裡夢外，金風玉露一相逢，不單是天上神仙故事，人間亦應如是。

——刊二〇一〇年一月九日《明報》副刊「一瞥心思」專欄。

神職與人職

去看致群劇社的《斜路黃花》，散場時背後有青年人說：「乜神職人員咁革命嘅咩？」其實，朱耀明牧師出場不久，就使我想起何明華會督，青年一輩當然不知道他。

我也應該不知道他，如果不是他在三十年代末與南來文化人有過交往、四十年代辦過港九勞工子弟學校，並因香港政府要封校而生出一場鬥爭、一九五〇年他為《國風》創刊號寫〈創刊詞〉、在報上提醒香港青年：「愛護你的祖國，認識你所住的城市」，我這個非教徒的香港人，不一定留意他這位神職人。

何明華會督，在香港為貧下人做了許多事，更重要的是他以一個外國神職人為中國人做了許多事。有關他的事跡，只要在網上查一下就知道，但我在此卻要引述他那篇不易見到的創刊詞。

一九五〇年，面對中國新政權成立，香港人在新舊交替情況下，心理沒有做好準備。一本以中西文化交匯為宗旨的刊物《國風》創刊了，編輯會主席是陳君葆，執行編輯是葉靈鳳。這刊物背景資料，我掌握不足，但相信與何明華關係密切。葉靈鳳在〈編餘〉中開首就說：「《國風》創刊的旨趣，已見何明華會督的發刊詞中。」證明他與該刊的關係非淺。這本封面只有 KUOFENG 而沒中文字的中文刊物，何氏的創刊詞寫的不是神職的話，而是人職的話，他提了孫逸仙、甘地等人後說：「他們的熱忱和深湛的精神力量，並非得自智能上的對於某一種觀念的依歸，而是由於他們感情上對於自己祖國深刻的聯繫。……愛國觀念一旦衰落之後，代之而起的必然是對金錢的貪愛。」

他以神職身份，做了人職的工作，他在香港的種種行事，足以見證。

——刊二〇一〇年一月三十日《明報》副刊「一瞥心思」專欄。

赤子護法

到屯門一家中學去參觀書展，聽說歷年辦得很成功，主要是中文科鮑老師親自去書店點書，不是胡亂讓書商取倉底貨來賣。學生也熱心買書，且全由他們主理，很成功把讀書、辦事、團隊生活結合在一個活動中。

意料之外，不是書展這個活動給我開眼界，而是親歷了一次令人感動、嚴正不阿的護法行為。

我跟賀校長邊談邊走向書展所在地，走到禮堂門前，順步見門便進。在進門前，遠遠已看到門內旁邊坐著兩個學生，都在低頭看書，我正奇怪怎會坐在門旁讀書？人已走進門了，其中一個男生立刻站起來，哦！校長和來賓來了，學生站起來，很有禮貌，我這樣想。誰料，他很溫和地說：「校長，這是出口，請由入口處進來。」我真的錯愕了，認認真真看著他的臉。

是個中一小男生，眉清目秀的形容詞，用在他臉上，一點不過分。他溫和說了這句話後，也沒有多餘話說。我和校長趕快退出來，再從不及一步遙的入口進場。我們轉身去他身邊，都情不自禁地讚賞他的執法不阿態度，絕不因面對校長而容讓。

執法，公正嚴明，不因犯法人身份高下而異。護法精神在此。

讚賞這個孩子的行為後，我以成人心理思前想後，記住他那赤子之臉。忽然，泛起了難言鬱結。如果站在那崗位上的是我，校長與來賓這樣走錯路進入禮堂，而入口也不過就在旁邊，我會怎麼辦？我大概會笑了笑，打個招呼就讓他們進去，反正他們已經進了會場，不見得破壞甚麼法規，更可說小事一樁而已，何必犯顏叫大家下不了台。愈想我愈慚愧，也愈珍惜那中一學生的行為。赤子護法，難得啊！

——刊二〇一〇年二月二十八日《明報》副刊「一瞥心思」專欄。

睇大戲

舊時香港，小市民最普遍娛樂是看粵語片與睇大戲。一般人回憶兒時睇大戲，多跟隨母親姨媽姑姐進戲院，我剛剛相反。母親不喜粵劇，應該說她不喜看戲，只愛看書，更怕我看戲入迷，會心散，管得嚴，不准多看。父親卻是個戲迷，幾乎逢戲必看，他寵我，每逢新班開演，總為我向母親求情，准去看一次。

小孩子在大鑼大鼓喧噪聲中，只知大紅大綠，個出個入，甚麼劇情，多不理會。有趣動作，易記口白，記住了回家與父親玩起來，可是往往出亂子，惹了禍，累母親生氣。有一次在年宵市場買了鐵關刀方天戟回家，父女二人就在騎樓對打，手起刀落，把玻璃燈蓋打爛。另一次父親教我揮鞭策馬架式，跑起來一揮馬鞭，便掃了暖水壺落地。我也習文，不一定打殺。父親不在家，沒了對手，我拿了他的唐裝褲，把褲管分開倒套在雙手作水袖，揮袂關目，似模似樣。

看不懂的戲文，有時好奇問父親，他不正不經的答案，讓母親知道，總會罵他為老不尊。看《六國大封相》，有幾個人頭戴像字紙簍的帽子出場，揭起字紙簍高聲喊「嗚呵」，我問甚麼意思？父親說即係無名無姓之人。公孫衍（那時候不知道坐車長鬚的叫這名字）為甚麼在台上來來去去不入場，父親說因為蘇秦封了相忘了給他利市。台上主角從椅子起來，站在後邊的婢僕把椅子移開前，必提起椅子大力在地上頓一下，我問何故？父親說要他們搬枱搬凳，故發脾氣。這就是睇大戲時父親對我的「教育」。幸好，我有個回家向母親作匯報的習慣，靠母親一一澄清，倒令我上寶貴一課，歷史民俗盡在其中。

——刊二〇一〇年三月十三日《明報》副刊「一瞥心思」專欄。

母親的說法

從小，我就是從父母親兩種不同「教育」中成長。

且看，母親對睇大戲的問題，與父親的說法完全不同。

講起《六國大封相》，母親自然從春秋戰國歷史說起，「有名有姓的，出到台前必自報家門：孤家燕國文公……從政治地位上數，表現身份者都可報上名來。至於站邊拉扯，烘托場面的小人物，又沒表演做手功架機會，只好讓他們高喊一聲『喎呵』，大概與廣東話做事不成氣候者稱『乜咁喎呵嚛』同義。」六國大封相，主角不是蘇秦，而是代表六國前往頒旨授命的公孫衍。為甚麼他在台上來來去去不入場，原來「既讓他坐車顯盡腰腿功架與鬚功外，還表示古人相送時的禮儀，一再回頭，目送客人遠去，才正式離開。禮義周周，與等給利市毫無關係」，父親分明以世俗觀念聯想出來，令我「中毒」。其實，直到今天，許多長輩還守著這禮儀，多次我去探望老前輩，臨別時，他們都會站到門前相送，我也頻頻躬身說「請回」。日本人也守這禮，曾有法國漫畫家諷笑日本人，道別躬鞠，直到遠去，用望遠鏡瞧瞧對方仍在，大家繼續鞠躬如也。至於戲台上挪椅凳前，一定提起用力頓一下，母親說這是重要的提醒作用。人家站起來，不知道你會移開椅子，冷不提防再坐下去，就會坐個空，栽倒了，很危險，故習慣大力頓一下，好讓人家注意。正因這教訓，我代人移開椅子時，一定小聲提醒。母親還教導，若把易碎物件遞到別人手上，放手前也應輕聲說「我放手啦」，免得一時誤會，大家同時放手，摔掉了，不知誰該負責。

母親的說法，對我來說，一生受用。

——刊二〇一〇年三月十四日《明報》副刊「一瞥心思」專欄。

二〇一〇年

豐子愷舊居

——日月樓重生寫照

從前多少次走過上海陝西南路，尋不著長樂邨，後來找到長樂邨，又無緣進入九十三號樓房，心殊悵惘，總覺對豐子愷先生的理解，欠了一筆，他最後日子所在地——日月樓，究竟風景如何。

多年前，他的女兒豐一吟女士告訴我，豐先生的孫兒豐羽念念不忘祖父舊居，多方設法，把積蓄拿出來，爭取購回陝西南路三十九弄九十三號的二、三樓（可惜一樓條件談不攏，未能整座合體）。重修後變成紀念館，以供人們參觀。

講起小孫子豐羽，是豐先生最懷念的，他常把孫兒照片插在窗邊，臥病醫院時，曾口占一詩，其中有「安得縮地方，千鄉如一縣，天下有情人，朝夕長相見。」這深厚的祖孫情分，正好見證了豐子愷最執信的緣，他對弘一大師如此，對馬一浮先生如此，對廣洽法師如此，他的學生後學對他如此，一旦結緣，遂一生一世，連綿永誌。可是要民辦私人紀念館，還得經過無數官家手續批核，一直延到今年才布置完妥，三月十九日趁著「上海盧灣區豐子愷研究會」成立，一併開幕。

自一九五四年搬進去，一直住到一九七五年逝世，豐子愷在這房子裡，完成了許多畫作、隨筆、翻譯，留有許多愉悅的記憶。文革時期，在此經歷了艱難歲月，飽受不公的對待。保留這舊居，等於保留了一位赤心畫家的後半生足印心跡，好待後人景仰。

都說私人紀念館不容易辦，但因豐子愷後人的懇切、豐迷們的努力，種種因緣，感動了許多人，政府知道了，下了「民辦公助」的批示，並代支付全數裝修費用，這是沒有先例的事。

長樂邨內一幢幢西班牙式三層高的建築物，早在三十年代建成。今天看起來，仍然十分牢固。要重修，必須修舊仍舊，只是為了保護舊地板，鋪上從前沒有的地毯，洗手間也換了新式坐廁及乾手機，一吟姐唯恐未到過從前日月樓的人誤會，一再鄭重聲明。這種細意，乃愛之切的表現。

以後一周二、四、六開館，由於沒有經費請職員，由熱心的豐先生愛護者朱先生、老費夫婦當義工負責看管。我多口問了一句：「不收費嗎？」一吟姐認真地說：「幹嗎要收費？讓豐先生的愛好者都來看，希望他們帶親戚朋友來。」

我們踏上木樓梯，經過亭子間，到了二樓，這正是豐先生居住的主要空間。踏進靠近露台的南窗邊，首先抬頭看看天窗，這是題名日月樓的精神所在。豐子愷把小木床、書桌、籐椅置在南窗側，坐臥其間，可仰觀日月運轉，因名日月樓。他的老朋友馬一浮用篆書寫了二人合撰的對聯「星河界裡星河轉，日月樓中日月長」，他自署橫披「日月樓」三字。這副對聯這橫披，都該是豐先生讀者熟知的。我們看到那短短的床鋪、籐椅，儘管複製，還是有親切感。撫摸著那半殘木書桌，彷彿親炙著豐子愷書寫時的餘溫。更想起日月樓名貓阿咪，匍伏在豐子愷肩上看寫字的樣子。

我站在南窗下，朝外看有藍天麗日和高與樓齊的幾株樹，不知道是不是當年植下的木桃、山竺、紫荊？一陣南風吹來，清爽怡人，真是天人合一的好日子。

繞行屋子內，牆上懸著文字說明，畫作複本、書刊書影，格局當不及石門灣的故居，但總可反映豐子愷後半生的行止了。

今回得張敏儀、張敏慧、玲玲相伴，初訪日月樓，真的了卻一樁心事。她們看得開心，也說再深切地認識了豐子愷。這使我忽然想起，作家紀念館，世界各地均有設置，中國也有魯迅、茅盾、老舍、夏丏尊、葉聖陶、金仲華等故居，都是一地引以為榮的標誌。外地遊客往往帶著朝聖的敬意，進去加深印象，文化精神得以流傳。聽說香港會辦「饒宗頤文化館」，甚麼時候也會辦「唐君毅舊居」、「蘇文擢舊居」、「葉靈鳳舊居」、「侶倫舊居」、「舒巷城舊居」呢？這才是香港文化標誌，永利街不算甚麼一回事。

——刊二〇一〇年四月二日《信報》頁四十，作者署名小思。

不要生氣

二〇一〇年

「不要生氣。」這句話是說給陸離聽的，也可能說給跟陸離一樣著緊出版物式樣是否「合理」的同齡人聽。

如果讓陸離看到《粉紅色噪音》、《北京跑酷》，她一定二話不說就昏過去，醒來再打電話給「有關人等」控訴一番。有關人等，未必是兩書設計者，是與書無干卻應該關注此事的人。

近年，這位極資深的編輯與極仔細的校對者，對出版物總是諸多不滿：不滿排版程式、不滿用紙與印刷顏色、不滿字體太小、不滿設計過分「新穎」、不滿內容出錯……眾多不滿中，她最氣憤的恐怕是顏色不協調，刺痛了眼睛，用她的話說：「橙色印淺黑字，我睇唔到呀！」「熒光粉綠襯白色字，叫人點睇到唧？」又加上字體太細，令她讀來吃力。我屬有關人等，故知之甚詳。

與她同齡，我的眼力不會比她好，自然對不協調的顏色同樣感到刺激，至於字體愈來愈流行細小——稍為留意，就知道書刊中的注釋、補充資料，用上小二號字體的多得很，閱讀時，必須極亮燈光再加放大鏡，才可看得到。面對她的不滿，我卻多採安慰方式：年輕編輯未經老眼昏花一關，當然無法理解老人家眼力不濟的苦處。聽說毛澤東晚年，下令出版社要為他特排印大字版的書，我們沒有這權力，只好用放大鏡遷就一下。顏色刺激，是現代人由忍受轉化為甘之如飴的習慣，電動遊戲、電腦上閃動色彩，他們從小看慣，也不覺難受了。這是他們所處的時代特徵，就讓他們玩一陣吧！不要生氣。等到老眼來臨，他們就明白我們的苦況了。至於因顏色過花，我無法影印保存資料，也只好算了。

——刊二〇一〇年五月十六日《明報》副刊「一瞥心思」專欄。

二〇一〇年

南禪聽泉

小暑酷熱，熱得心煩。我去買絹豆腐一大塊，本欲以冰鎮之，灑白芝蔴嫩葱碎在上，吃下求平內熱。

正把細滑豆腐擎在掌中切成片狀，凝神看著那柔軟如絲卻稍有重量的白塊，腦海竟閃現三十七年前八月三十日的那些南禪寺湯豆腐。

京都十方叢林代表的南禪寺，既有「無山見山，無水見水」的禪修庭園，也有曹泉池的水，更有水路閣通往哲學之道的疏水。唐君毅老師每到京都，必到南禪寺聽松院吃湯豆腐。京都水好，大豆質優，工匠以古老手法精製成豆腐，是佳品。唐老師喜者想不單吃那純與滑，而是坐在幽雅庭園中、樹蔭下，吃那「淡中有喜」的禪意。

老師師母到了京都，就安排帶我們去南禪寺。我坐在矮案前，看悠悠然的爐火煮陶鍋中清水。水中豆腐靜靜躺著——湯豆腐不能猛火令之翻騰，是靜靜的躺著才對。以勺子舀一塊豆腐，放在小瓷碗中。淡淡醬汁與純白豆腐，互不奪色。吃一口，豆香以外，沒有餘味，我納悶這有甚麼特色，值得那麼貴。

京都盛夏，夜間蛙鳴，日中蟬噪，都令人難受。聽著枝頭蟬噪，聒耳得很，令我有點不耐煩。老師很靜默，盤膝而坐。忽然，他問聽見泉水聲嗎？我這刻一留神，才聽到蟬噪以外，果然隱隱有流水聲響。

老師講起大堂樑上懸了「泉聲說法」四字的匾額，我進來的時候完全沒察覺。他說泉聲是自然之聲，本無含意，說甚麼法？一切法，皆自心生。這樣他才再給我說了「淡中有喜，濃出悲外」八個字。這八個字，老師在《人生之體驗》中提過，他引用了史震林這些話後，如此寫道：「我之寫此書，便可謂常是在此種有所感慨的心境情調之下寫的。即在此心境情調下，我便自然超拔於一切煩惱過失之外，而感到一種精神的上升。」

湯豆腐是淡，只因我慣了酸甜苦辣濃烈之味，早已失去對淡的聯想，預設的認知遮蓋了對淡的想像能力。泉聲幽幽，只因我耳聽已為噪聒之聲所蔽，深受煩擾，集中聚神於噪音，忽略了幽聲。原來，一切煩惱皆由自我設限。

自我設限，便蒙蔽了眼耳口鼻，難以聲入心通，眼見則明，味觸即覺。一切受了縛束，心難與其他生命相通，自我生命就窄了。老師叫我去看更廣大的世界，我果然聽到泉聲了。

我切好一片片豆腐，連淡淡的醬油也不用，一口一口慢慢品嘗，那若隱若現的豆香，通了舌觸，如一疋絲絹，柔移於食道，進到胃裡。與當年我在蟬噪外，突然聽到泉聲一樣，那就是法。

今世噪音擾人，最宜「淡中有喜，濃出悲外」，聽泉音洗耳。

——刊二〇一〇年八月《明報月刊》「心田集」專欄，作者署名小思。

追念陳浩才先生

二〇一〇年七月二十七日，陳浩才先生逝世。

感謝先生在五十年代給我奠下欣賞西洋音樂的基礎。

初中三年級，新來音樂老師，竟然要考我們西洋音樂的基本知識，但她卻不教——那時候上音樂課只見一台鋼琴，沒有任何音響設備，等到考試，她拿來巨型錄音機，播出聲音，要我們認聽寫出樂器的英文名字。五十年代，學生多家貧，家中何來唱片留聲機？社會也沒提供課餘音樂欣賞節目，怎可以應付這等考試？忘了誰發現中環萬宜大廈紅寶石餐廳，每星期五晚上，舉辦音樂欣賞會，費用十元，包括一杯茶一塊西餅，我們幾個同學就去參加了。主持人陳浩才先生很年輕，他出版一本《音樂生活》，免費派發。內容介紹播出的音樂欣賞方法、作曲家生平、音樂家故事等。我一直收藏這套刊物，直到大學，一再搬家才送給人。由於十塊錢不便宜，同學去兩三次就不去了，剩我一人，仍堅持著，天天走路上學，省下車費來支付費用。那時候，不懂甚麼 **HiFi**，甚麼立體音響，只覺各種樂器發出音色層次分明，一個晚上，身在樂聲包圍中。幾乎所有重要西洋古典音樂，都在陳先生安排下聽到。

我現在已不大聽西洋音樂了，可是許多基本知識還沒忘掉。青年時期，美育培養很重要。當年社會資源缺乏，學校、家庭都無法提供養分。儘管十塊錢算貴，但畢竟有個音響極佳、選材嚴謹的學習地方，總是值得。

幾年前，在天后附近的飯店中，遇到文化老前輩，他遙指另一桌，說正與陳浩才先生見面。我走上前，深深鞠躬，告訴陳先生我在紅寶石的得益，他是我青年時代的培育人。

——刊二〇一〇年八月七日《明報》副刊「一瞥心思」專欄。

西西縫熊

柴灣青年廣場是個好所在，可是還未成為展藝觀藝的熱門場地。建築設計新，給人感覺好，只是不知何故建成多年，仍冷落在港鐵站側，直到前兩年才見舉辦活動。專程去一趟，為了看「西西手製藝術熊及布偶展」。雖然擺設在六樓過道上，但窗外陽光燦爛，展場十分亮麗光潔，展櫃雅淡，極配西西的熊和布偶。部分展品在三聯灣仔分店看過，總感侷促，擺在這裡，舒服得多，熊仔活起來。

今回展品有了生命發展線索。我先看「做熊步驟」。生命源起，拆散是一件一件組件，憑一針一線，和我不曾見過的奇怪工具，經由西西生命力，他們遂成形了。作為眼睛的鈕子，平平板板放在蓋上，沒動靜，到了白臉僧面猴臉上，襯個圓筒長鼻，就活起來，有話要說了。「世上的猴子有二百多種，不少瀕臨絕滅，我選其中若干縫製，加以介紹，這是我目前樂而不疲的工作。」西西的話。除了從前見過的歷史「人」物，新生命新裝置，我特別愛「受傷的月熊」。禿猴、白臉僧面猴、斑馬鼻子家族，也喜歡。新布偶的衣飾經過時尚設計，各具風貌，不過我一向不愛布公仔，還是熊仔可愛。布偶中，海盜王的眼睛，不是常態的，不同顏色圓鈕，有一隻竟然X形，一看就認定是海盜王。

「受傷的月熊」躺著，兩隻大熊憂形於色，六隻小熊圍著，從眼睛看來，月熊是病得沉重的，可是一隻手仍提起來想撫摸在他身上的小熊，關切聯繫，組成整個場面。病榻邊的大針筒，卻帶點幽默感，平衡一下憂傷。

好的展覽，沒有甚麼宣傳，是文化記者的觸覺遲鈍了？

（展期至八月三十一號）

——刊二〇一〇年八月十四日《明報》副刊「一瞥心思」專欄。

參

❖ 教育官員瞎講通識教育，設立成一科，還要公開考試，那真不知所謂。甚麼才算真的通識？甚麼才稱得上創意？西西作了最優秀示範：廣博而扎實的學識，融會貫通的取捨，個人風格的呈現，創造了前人未有的這本書（按：指《縫熊志》）。

——小思〈西西這本書〉，見二〇〇九年八月三十日《明報》副刊「一瞥心思」專欄。（西西《縫熊志》，香港：三聯書店（香港）有限公司，二〇〇九年。）

西西手縫熊在柴灣展出，友人參與佈展。下圖左起：鄭樹森、西西、何福仁。

記范用先生

用上這題目，實在是遵從范先生的囑咐——他對家人的吩咐是「不追悼，不去八寶山」。我作為後輩，一個深受他愛書之切之癡感動的後輩，不用「敬悼」，是聽他的話。

八十年代我到北京，有機會拜會景仰已久的文化人，讓我接觸了上一代人的溫文雅淡，理解他們在苦難中活過來而仍執著的知識信念，趕得及認識他們，是我的萬幸。其中有些長輩我用文字記過，也還有許多沒寫下來，范用先生是其一。

范先生當時任《讀書》編輯。在香港，每月都追讀這石破天驚的刊物，對此刊敢提出「讀書無禁區」的勇氣，自有特別的敬重。而得范先生的介紹，再由董秀玉大姐帶領，我才輕易展開訪問工作。以後，我不絕地追蹤他編的、出版的書，留心讀他寫的文章。

早知他是書癡，但後來才知道他設計封面，而且是無師自通。我喜歡他樸實無華，十分鄭重的風格。他自言不喜顏色複雜含糊。讀他的《葉雨書衣》，就足證完全實踐了。他也愛漫畫，所編的《我很醜也不溫柔　漫畫范用》及《憑畫識人　人物漫畫集》很特別又有趣。

很難忘有一次，剛逢北京一家川菜館試業，一眾老人家聚首吃喝，楊憲益、汪曾祺、羅孚、黃苗子、范用、林斤瀾諸先生興致勃勃，他們鬧著要喝二鍋頭，還喝了幾種不同的酒，講了許多我不大理解的笑話，只是羅范兩先生較沉靜，那一夜，留給我深刻印象。

他退休後，我沒再見過他，只知道他仍與書為伍。想起他一首詩，頗見其志，抄錄如下：「兩耳不聞世上事，躲進酒壺成一統，醉眼朦朧看閑書，管它東西南北中。」如今歸去，想更安然。

——刊二〇一〇年十月九日《明報》副刊「一瞥心思」專欄。

❖ **證** 一九七九年四月出版的《讀書》雜誌1期即提出「讀書無禁區」。

二〇一〇年

給人留下的印象

無意間自己舉止留給人家印象，後果意想不到。

友人在他報寫三十多年前一件事，我都忘記了，講起來實在好笑。那年我到北京看望漫畫家畢克官先生，到他家參觀他的畫作及所藏舊青花瓷片。蒙他一家盛情招待後，快要離開時，我說要「洗洗手」，在香港這說法並不稀奇。沒想到畢家小姐鄭重打了盆暖水端到客廳來，我很愕然，定一定神才明白自己用了香港習用語，惹了誤會。幾十年，她還記起這件事。

另一件事也發生在三十多年前。去杭州旅遊，一年輕學者要到酒店來見我，由於交通延誤，我遲了回到酒店，他早已等了好久。我滿身塵污——那年代走在內地街上，難免蒙塵。只好抱歉，請他稍等，讓我回房清潔一下。幾年後，讀到他一篇敘記與我見面的文章，竟然有一段文字，說他發現我從樓上下來時，我那對滿佈泥塵的黑皮鞋，已經擦得光亮，在當時，沒有幾個人的鞋子會沒塵的。我驚訝抹淨鞋這一舉動，會給他留下如此深刻印象。

一九八八年我到北京開文學史料研討會，會後一眾拍照留念。在內地，排座次是不能出錯的，作嘉賓的我當然坐在前排，可是我坐定後，發現青年一輩，男的站著，卻要女的蹲在最前。我不是甚麼女權分子，只是她們穿裙子，蹲著不方便，且為甚麼硬要男的站？我一時情急，顧不上禮儀，把她們拉起來，要與男的對調位置。這件事，在當日沒參加該會的一位老前輩筆下記錄了，據說是與會者回到圈中把它當成話題來談。

母親教落，言行舉止，不能疏忽，她常說要養成習慣才好，別人看在眼內，記在心裡。以上例子，就是證明。

——刊二〇一〇年十月十日《明報》副刊「一瞥心思」專欄。

二〇一〇年

送寶姐

認識寶姐是從一幅漫畫開始。那是我小學生的時候。

〈阿寶兩隻腳　櫈子四隻腳〉，豐子愷筆下小女孩蹲下來，她赤了腳，專心為櫈子穿上鞋子，好讓自己的鞋子給欠了兩隻鞋的櫈子穿上。印象深刻，只因我也這樣做過。

後來讀到豐先生寫的〈送阿寶出黃金時代〉，朦朧中似懂非懂的思索著黃金時代的寶貴，豐先生說這一送是悲喜交集：「所喜者，近年來你的態度行為的變化，都是你將由孩子變成成人的表示。我的辛苦和你母親的劬勞似乎有了成績，私心慶慰。所悲者，你的黃金時代快要度盡，現實漸漸暴露，你將停止你的美麗的夢，而開始生活的奮鬥了，我們彷彿喪失了一個從小依傍在身邊的孩子，而另得了一個新交的知友。」

「天真爛漫的阿寶，從此永遠不得再見了！」嚇得初中生的我好驚懼。

轉眼間，八十年代初，早已出了黃金時代的我初見阿寶，我跟一吟姐叫她寶姐。那溫文和煦的笑容，仍隱隱飽含著天真爛漫，忽然，我很安心，豐先生當年悲歎的事沒降臨寶姐身上。

往後的日子，我們不多見面，但從你為石門灣緣緣堂重建畫圖樣、編豐子愷漫畫全集等等保存豐先生風神面貌的工作中，仍可看見你的黃金時代身影。而也常知道，一吟姐和你同遊的許多行蹤。我羨慕你們老來姊妹，沒辜負豐老喜愛的好山好水。

近年你的健康欠佳了，我明白那是不可避免的自然生命狀態。二〇一〇年十二月一日晚，你大去了。雙手交疊在胸前，稍帶靦腆的小女孩，冉冉遠去，在寧靜的另一世界中，重歸疼愛她的父母懷裡。

寶姐，我仍如送你父親一般，不悲不慟，送你。

——刊二〇一〇年十二月十一日《明報》副刊「一瞥心思」專欄。

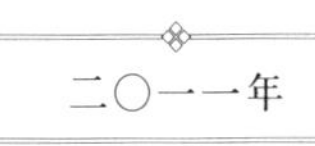

二〇一一年

訂正的可貴

做了快十年的文化人口述紀錄，核實程序一關最難過。人的記憶有時很奇怪，我不想用「不可靠」這三字，明明記得，卻是記錯。幾年的事、幾個不同的人，重疊一起，要分解出來，實在不容易。特別文獻資料散佚、筆名無法確認等等，時光逝去，不記得就從此湮滅。

趕快記錄出版，不是爭銷路，是爭當事同時的人尚在，可加訂正。

出版了古兆申的回憶《雙程路》，就出現了極佳例子。

古兆申講到七十年代初在《盤古》，第一個人提出「要解放台灣，港澳必須回歸的」是包錯石的弟子周魯逸，還說文章是自己親手發的。我們一查《盤古》，四十四期（一九七二年一月二十五日），果然有以「么華」為名寫的〈要解放台灣應先收回港澳〉一文，於是就在注中說「么華」即「周魯逸」。這就犯了大錯。

原來，么華另有其人，仍在香港，且肯來信指出錯誤，讓我們有修正的機會，不至白紙黑字錯下去。

么華，是中文大學文學碩士，畢業後擔任中學老師，一直至今。七十年代初，他感於時事，及世局不靖，寫了幾篇關懷世局的文章，分別刊在《學苑》、《盤古》中。除了上述一篇外，還有〈港澳對祖國統一的兩期歷史任務〉一文，四十年了，今天讀來，仍可見當年有志愛國者的想法如何先行一步，多麼有預見。

幸得么華肯告訴我們。這錯誤既對不起歷史紀錄，更對不起么華。往後，有關口述歷史出版，我必細加修正。這訂正是可貴的，我說過，個人口述，並不單屬個人，憑這訂正，就引出另外一位關懷國運的作者來，如非他肯指出，我怎也查不出么華不是周魯逸，而是江汝洺先生！

——刊二〇一一年一月十六日《明報》副刊「一瞥心思」專欄。

❖ **證**

恕我直言了。您（小思）的文章〈紅匣子是這樣打開的〉提到：「你不信一九六七年怎會有那麼多名校（華仁、英皇、皇仁、聖保羅男女校、英華女校、聖士提反女校、庇理羅士女校等等）學生上街放炸彈，看看此書（按：指江關生的《中共在香港》），原來二三十年代人家就在做工夫了。」對此，我有不同看法。根據我對六七暴動的探究，沒有資料顯示有名校學生上街放炸彈。她很快就回覆：「經你提醒，深思那『放炸彈』三字太有問題，我要寫小文更正，才不讓人對當年學生誤會。」結果，她在緊接著的專欄文章寫了〈下筆不小心〉，承認「『放炸彈』三個字，我用得太大意。我應該說『放傳單及假炸彈』」。她勇於負責、有錯必糾的身教，就是最好的為師之道，深深地鑽入了我的心坎。

——江關生〈俯首甘為孺子牛——記與小思老師的一段接觸〉，見二〇一一年九月四日《明報》「星期日生活」「寫讀情緣」專欄。小思〈紅匣子是這樣打開的〉上、下篇，見二〇一一年八月六和七日《明報》副刊「一瞥心思」專欄；〈下筆不小心〉見八月十三日「一瞥心思」專欄。

令人觸目驚心的報告

在周愛靈著的《花果飄零——冷戰時期殖民地的新亞書院》中，讀到一份題為「The Chinese Communist Threat in Schools」（〈中國共產黨對學校的威脅〉）的特別評估報告（是作者引自檔案HKMS158-1-135），當中看見港英政府如何對快要成立以中文作教學語言的中文大學的詳細分析與評估。

周氏引用其中一段，我讀了真觸目驚心：「新大學的核心將會由三所政府資助的專上學院組成，而在一九六〇年的一一〇九個入學的學生中，有九三四人是中文中學畢業生，其中十五人是從共產黨控制的中學畢業的。雖然這些數字顯示了中文中學對將來新大學的重要性，但也可見到共產黨還沒有——在政策上——轉向滲透受資助的院校。但儘管如此，委員會認為未來對共產黨在這方面的政策，還是要謹慎留意的。」

九百三十四人，其中有我！原來在一九六〇年進入新亞書院時，我已給政府審查過。當然，我不屬受共產黨控制的那十五個人，應說「安全」分子。但也難說，因為新亞書院校長老師，「在情感上，跟台灣有關聯，這令政府擔心」，在他們心目中，我們屬「右派」，有了傾向，也不「安全」！

由這檔案，讓我憶起當年雙十節的「懸旗事件」。開學不久，在雙十紀念晚會上，我第一次目睹唐君毅老師和一群師兄痛哭，新生如我懵懵然不曉得發生甚麼事，但也朦朧知道一定是件大事。後來，真是很久以後，才明白新亞受到的壓力和委屈。檔案中，顯示了教育司高詩雅一再傳遞了政府指令，「如果不停止掛旗，可以對新亞書院的資助和獲得大學地位帶來真正的威脅。」

就是這些報告檔案，將陳年舊事的內因，一一揭露了，雖說事過境遷，還是觸目驚心。

——刊二〇一一年二月二十六日《明報》副刊「一瞥心思」專欄。

我進讀書會

近來斷斷續續讀到與我差不多年代的人，寫出中學時代的回憶，發現五十年代中，所謂「左派政治滲透」真夠厲害，怪不得當年學校不讓我們成立文社、辦壁報。

一九五五年我升學金文泰中學，官立學校，身家清白，應無任何政治立場。誰料故事並不簡單，相信我遭遇的，不是個別事件。

記得初中一年級上學期考試完畢，派了成績表不久，小息在操場上散步，高年級的學姊迎上來聊天，說知道我成績好，問我想不想多讀課外書——那時代中學沒設圖書館，愛看書又沒錢的學生，只靠到書局打書釘，受盡書店老闆白眼。忽遇學姊一問，自然爽快說想。從此，我進了學姊學兄眾多的讀書會。每星期六下午，我要到學姊跑馬地的家，事前她送給我一本書，要讀完才在讀書會討論。第一本讀的是蘇聯作家尼古拉·奧斯特洛夫斯基所著《鋼鐵是怎樣煉成的》。小學讀的是《家》、《春》、《秋》，從不接觸大時代大革命故事，保爾·柯察金這個騎兵勇士、共青團員，受盡艱辛磨練而成的英雄，在閱讀經驗中，從沒印象。與情人冬妮亞的一段戀情，多麼迷人，可是讀到第九章，保爾竟因自己「應先屬黨」，要和她分手，這情節真叫我嚇一大跳。又由於保爾受了傷也不呻吟，他說讀《牛虻》就知道原因，於是我們第二本書就讀《牛虻》。

一年來，我在讀書會讀了七八本大書，跟隨學姊學兄進入書中「境界」，學懂黨國重於個人，不畏犧牲以赴國難等等。

再過一年，讀書會消失於無形中，據說主持的學姊學兄給開除出校，還被遞解出境了。很好奇，這讀書會有沒有記入政府檔案中？

——刊二〇一一年二月二十七日《明報》副刊「一瞥心思」專欄。

「新」移民

細算起來，我見過三個次代的「新」移民，看住他們由新慢慢轉到舊，舊或該已成為本土屬性，就是沒有新舊之分了。

四十年代末，一批內地移民來的人，分別散居在各區。不說我不熟悉的調景嶺、石硤尾、尖沙嘴、北角等區，只說散在灣仔軒尼詩道天台的那一群木屋群落。我家天台，不知道甚麼時候來了一群人，四個家庭，夫妻都年輕，帶著孩子。他們用木板鐵皮在空地上蓋起簡陋房子來，偷用天台水箱的水。那時沒「僭建」一詞，唐樓沒有管理人，政府也沒管，這類房子愈來愈多，只能讓他們住定。他們都住得很乾淨，也忘了是誰發起，樓下各宅請住下的男人女人當清潔工及替我們倒垃圾，每月給工錢，解決生計。大家相安無事。小學也來了個上海女同學，語言不通，吃力得哭著上課。儘管長輩都埋怨上海人的海派作風，把香港樸素風氣搞亂了，可沒影響小學生的交往，到今天，她還記得我怎樣用心教她廣州話，同學都把她當成好友。《南北一家親》、《南北和》等電影，正表達了文化碰撞後對和諧的企盼。

到了六十年代初，我更熟知了一批住在鑽石山的「新」移民。左舜生老師、易君左、王道諸先生，他們多住在聯誼路，跟錢穆、唐君毅、牟宗三老師同屬四十年代末來港的一批人。左老師不吝地教我近代史，易先生為我說文壇趣事，王先生贈我他編的《人生》，語言的隔閡、生活文化習慣的差異，完全沒影響兩輩南北人的接近。當然還有眾多南移文化人，是他們使香港成為中國傳統文化轉移基地，我是受益人之一。我也從沒把他們定位作新移民。

六十年代末，又來了一批人，我不認識那些袋著五塊錢來港，後來變成富豪的人，只說一些知識分子。他們跟三四十年代來的一樣，很快就投身文化界。有人竟以投稿、參加徵文比賽露了才華，憑個人對文學的熱誠，從此一一棲身在不同的文化機構裡，努力工作。或有自己創業，在文化事業樹一幟，報刊界出版界就有他們一股力量。就算四十年代末來港的文化人，他們都多走投稿一路謀生，小說如趙滋蕃《半下流社會》、侶倫《窮巷》中存在這類角色。真實生活中，我認識的長輩及同輩，他們最初可能還有些外來者的心態，但我們根本沒把他們分開來，漸漸他們也融入本地生活了。

八十年代，來了另一批人，青中年父母帶來孩子，在香港唸小學中學大學。我接觸的是大學生。在班上，最易分別出來，他們名字多用單字或與香港慣見名字不同，他們多認真用功，他們看書多，文筆流暢，態度也很進取。認識深了，就知道他們各懷心事。在港初期，他們不像前輩人般很快融入社群，據說也受過被排拒之苦。他們迷惘過但很快找到自己的路，不像本地出生孩子對自身的茫無頭緒。這群人大概不大用「新移民」稱自己的。

不知道打從甚麼時候開始，香港社會流行「新移民」一詞，無論官方民間開口埋口就把人分開來。最奇怪的是被人稱作新移民的人，也自稱新移民。這種分法沒有好處。「新」到取得永久居民身份證才不新嗎？最近讀陳曦靜的《不再狗臉的日子》，再想想顏純鈎的《紅綠燈》，發現在迷惘、焦慮過後，才能尋出新路，代代如此。我們不宜標籤新移民。

——分上、下兩篇刊二〇一一年四月二及三日《明報》副刊「一瞥心思」專欄。

從一九八六說起
——《八方》復刊前一年的故事

翻開泛起點點黃霉的紙張，讀一頁頁「香港文學藝術協會」的會議紀錄，不過二十五年罷了，出席人的簽名，龍飛鳳舞，他們的身影仍歷歷在目，可是林年同、黃繼持已天人相隔，有幾位也棲居海外，其他則各有行事去向。當年共聚故事，瞬已塵封。世事速變如此，真怕記憶有所閃失，憶憶復憶憶，就從一九八六年說起。

一九八一年十月四日成立的「香港文學藝術協會」，為的是想以一個社團身份，設法為已出版了四輯卻欠經費無以為繼的《八方文藝叢刊》籌款。說來可笑，該協會甚麼事都沒做過，十月十八日就在第一次執行委員會會議中，有了如下決定：「由於尚無經費辦活動，決議暫停協會活動，待經費籌備有眉目再恢復協會活動。」書生論文尚可，找經費則一籌莫展。如此等眉目，一等就停了五年。

到了一九八六年，協會得徐展堂贊助二十萬元支持《八方文藝叢刊》復刊計劃，於是三月二十八日開會通過「恢復協會活動」。五月十四日的執行委員會紀錄中，有一段決議很重要：「執委同意在以下情形下，才接受捐款，即捐款人不干涉刊物之運作，不附帶任何條件，賦編務全權獨立行事，且捐款不得用作其他活動。」協會復活後，立刻籌備把停刊多年的《八方》復刊。

八月三十日執委員決定復刊的編輯委員會人選，並聘古蒼梧為執行編輯，決定續出第五輯。由於停頓日久，必須從新向海內外作者約稿。海外有海外編委李黎及鄭樹森負責，台灣有戴天、鍾玲負責，內地文化人倒因沒太多直接聯繫，得有人去溝通及解釋《八方》是怎樣的「不拘流派，不限觀點」的「一個真正百花齊放的園地」。既要約稿，還要邀約新的顧問。這件重要而不易為的工作，協會指派了我去擔當，這並不是我能幹，而是只有我可得長假期，可以自由走動——當年中文大學可積存假期，隔幾年就可休假半年。一九八六年十月，我遂承擔了重任，到北京去了。

儘管八十年代初，我個人已跟內地一些文化人接觸，但今回要聯繫的卻是我並不認識的。幸而戴天古蒼梧告訴我，已與出版界老前輩范用先生聯絡了，只要我去拜訪他，他就會好作安排。

一九八六年十月七日，我隻身到達北京，展開一趟新鮮、興奮，而又充滿患得患失的文化之旅。

第二天早上，我見到范先生，他親切地叫我安心，要見甚麼人都可安排。就在那天，他給我介紹了董秀玉大姐，說：「小董會帶你去見你要見的人，你放心好了！」這是我與董姐第一次見面。她爽快利落寫下我要去拜訪的人名單，一一訂出日期來。在往後的一星期，她不辭奔走，每天帶著我挨家逐戶去探訪名單中的作家。在她暢朗笑談推介聲中，每位文化人都給我非常爽快的應允賜稿。就是我滿以為最大難題的：請錢鍾書楊絳兩位先生擔任《八方》顧問一事上，也因她與他們的稔熟，而輕易過關。據說當年兩位前輩已不太見陌生人的了，我的確是陌生人，且有事相求，太麻煩。但門開處，只見董姐與迎上來的楊絳先生熱烈招呼，還未坐定，錢鍾書先生已從屋子裡走出來，經介紹我這個陌生人後，他們三人就無拘束地聊起來。就在這種和諧氣氛下，董姐似在有點不經意的道出我的來意，我緊張得很，承接講幾句懇邀的話，兩老遂無異議的點頭答應，我就毫不費力便完成了邀請任務。這是第一次看到董姐的處事待人方法，上了重要一課，往後對我影響極大。

整一星期，董姐帶我走北京城南城北，拜訪老作家如汪曾祺、端木蕻良、卞之琳、九葉詩人陳敬容、袁可嘉、曹辛之等。當年仍屬青年一輩作者的劉再復、劉心武、黃子平、陳平原，與她也十分老友，在他們談文論藝過程中，我進入一個陌生而活力充沛的文學世界。還有帶我去見官司纏身而仍努力不懈為民請命的劉賓雁，奠定了一九八八年八月他來港與陳映真對談的機緣。最奇妙的是往往談著談著，董姐就在不知不覺間，為我向他們約了稿，如斯輕易，我沒費一絲力，已經完成所有任務，《八方》第五輯的內地來稿，完全落實，毫無問題了。我把一切疑慮放下。

那一夜，跟董姐追隨一眾老前輩汪曾祺、范用、林斤瀾、羅孚、黃苗子諸先生，去「豆花飯莊」試菜。老人家興致勃勃，酒過三巡，其間，董姐又為三聯的雜誌約稿，輕鬆得很，大家都答應了。吃一頓飯，笑聲盈耳，對答神妙，對我來說，是從未遇過這種三十年代文藝風華，堪稱一場文化盛宴。汪老還即席揮毫，董姐為我討得一紙墨寶，果真難能可貴，真感謝她的處處關顧。

一九八六年十月尾，我就在董姐談笑用兵的協助下，完成為《八方》復刊組稿工作回港。沒想到隔了不久，董姐就到香港來了。我與她重聚首，展開更深的認識，給我更多啓發，乃是後話，但一切燃點應始於一九八六年。

二〇一一年三月八日

——刊二〇一一年四月二十四日《蘋果日報》副刊「果籽」，作者署名小思。

參

❖ 《八方》是改革開放後內地與香港文化交流最重要的雜誌。當時在大陸、台灣的人，特別是在現代文學史曾經消失了一大段時間的人都在《八方》出現過。其他如杜漸編的《開卷》、《讀者良友》，劉以鬯編的《香港文學》，都有先行者的意義。

——深圳商報記者魏沛娜〈小思：香港文學研究的「擎燈使者」〉，見二〇一五年十月二十五日《深圳商報》「讀書周刊」。

二〇一一年

通俗的意思
——為「舊夢須記」系列序

我不是開講香港文學，不說高深文學理論，只想繪講多少年來，廣義的香港文學走的一條通俗路線圖。

不必拉上甚麼「集體回憶」大名堂，但，如果你輩份及得上，讀了這些作品，自然掉進前塵往事裡，思潮一發不可收拾，懷舊與否，各自修行。假如你還年輕，讀了這些作品，足夠勾起好奇，相信更會因事前缺乏歷史認知，而「知道」了一些似曾相識或完全陌生的香港人情世故，令你耳目一新，禁不住沿路追尋下去。

香港，是個商化都市，一切人的生計，均依賴市場銷路好壞為主導。不必隨意批評人家過於功利，只因生活必須看供求是否如意，供求都看準了市場需要。幾十年來我接觸無數我尊稱為作家的文化人，他們多在報刊上寫作，都出了名，深受讀者歡迎，但不約而同，坦率陳言寫作不過為了「謀生」，十分自覺把寫作視為謀生技倆，不作進入文學殿堂、名列文學史之想。這樣動機就令他們下筆時，必然想到怎樣吸引消費者的注意，投其所好，引起共鳴，是最佳辦法。這倒不是他們獨特的想法。一九三九年五月，一群關注香港文學發展的文人聚在一起，商討「用甚麼方式爭取香港的讀者大眾」。身在香港大學當教授的許地山提出了這樣的意見：

「我想有一個很好的方法就是用說書的方式，改良說書的內容。我時常在西營盤說書攤細細地觀察過。人，總是愛聽一些新鮮的材料，很多說書者現在亦時髦起來。……根據我二十五年來教書的經驗，自動找書念的學生，一百人中怕沒有二十五人，多數的學生，都是聽人說甚麼書好，就去找甚麼書唸。可見書報的宣傳與介紹亦是很要緊的。」（李奇卓記〈用甚麼方式爭取香港的讀者大眾——文協第二次座談會紀錄〉，《星島日報》，《文協》八期，一九三九年六月十九日）

可見七十年前閱讀者心態，與今天相差不遠。讀者讀報一為獲得資訊，二來為了消遣娛樂，故報刊可視為商品，爭取消費者是理所當然。歷來香港報刊數量多，最能給靠稿費解決生計的文人有利陣地。明白了報刊生態，寫稿人自然知道該如何滿足讀者的需要，以即時而快速方法應付出版流程。

要天天寫稿，取材應以就手方便為是。要滿足讀者好奇求知，當以社會動態新知為首要。為給與讀者消閒消遣感覺，最宜配以能引起共鳴或有趣的情節。因此，報上副刊作家，必然多以當時社會動態入文，散文隨筆，我見我聞，信手拈來，添加己見，遂成短小精悍之文，給予讀者新知或引起共鳴。如以小說形式出現，則創造具代表性人物，添鹽加醋，務求讀者當下難忘，成茶餘飯後談資。

五六十年代，是香港城市發展的轉折期，不同地域的人流匯集，社會變動大，報刊成為資訊消閒重要載體，故大報小報數目驟增，堪稱空前盛況。報刊編輯為求爭取讀者，紛紛擴大副刊篇幅，增加專欄，豐富版面。作家也因時度勢，力求配合世態人事，寫成湊合一般讀者口味的文章。「湊合讀者口味」，似有貶意，但據當時文壇生態，卻是實話。不如換個較易接受的用語，就是「通俗」。當年許地山口中的「說書人」，就以通俗取勝。為求流通，為適應市場，作為商品來生產的文字作品，寫來通俗，也須具備一定的創意與文藝技巧。不過，有時為了及時交稿，難免有下筆粗疏，不講求結構嚴謹，甚至情節前後矛盾的毛病。只是作家寫作時大概沒考慮過他日要經文學批評家的法眼，偶有機會以單行本流傳，也不過收多些版稅，未冀求進入文學史家的觀察範圍。正因如此，他們的通俗實存，輕易隨時光流逝，隨舊報刊不受珍視儲存而消失。不過幾十年，他們的作品、他們的名字，一時風流雲散。這種歷史遺忘，是香港常態，很悲哀。

正由於這些作品通俗及流行於當年，我們不能不從新的角度檢視它具有的另一種意思。既然通俗，就表示它有為當年社會所接受的面貌，它反映了一般人的處境與心態。這正是「大歷史外的枝節」，是「貼近讀者的期待視野」，是「一幅四五十年代香港社會浮世繪」。

作家用文字即時留形傳聲，把當下衣食住行百般情態盡納其中，這種實況內容騙不了讀者，故真實性甚強，細節比大歷史豐富，我們欲知香港前世今生關係，暫無正史可尋，大可從舊報中眾裡尋它。（按：引文分別出自《陌生天堂——五十年代都市故事選》、《醒世懵言——懵人日記選》及《經紀眼界——經紀拉系列選》的〈前言〉。）

舊報散佚，各大圖書館所藏不多，就是實存，一般對前塵往事感興趣的讀者也不容易翻尋。但有心人如能從細讀中勾沉索隱，整理出版，對今天讀者，自有吸引力。由於它通俗，讀來輕鬆，容易滿足探隱尋幽趣味。讀後自可勾勒出當年香港社會面貌，比較今昔異同，不求深入研究，也得一個「趣」字。從社會學、民俗學的方向閱讀，價值也大，反正正史過於鄭重，在輕盈枝節切入，大體也可重組一幅社會百態圖像。至於文學史家讀來，心中明白，講香港文學，都懂香港文化生態，純文學多寄生於通俗園地，太講求正統觀念去衡量採摘，往往失諸交臂。

今回這個「舊夢須記」系列，經編選者細意挑篩一些舊報上作品，汰去粗疏，留取可窺當年人事的片段，並添加有助理解的引導文章，以為讀者深入研讀之助，頗能繪畫一個較完整社會圖景。以「雅俗共賞」態度採材，輯印成書出版，當作尋根存真也好，當成娛樂趣味也妙。如何解讀，就看讀者與香港的情分了。

盧瑋鑾

二〇一一年五月一日

——刊盧瑋鑾主編「舊夢須記」系列，香港：天地圖書有限公司，二〇一一年。

❖ 參

「舊夢須記」系列包括：

張詠梅編《醒世懵言：懵人日記選》；

樊善標編《犀利女筆：十三妹專欄選》；

熊志琴編《經紀眼界：經紀拉系列選》；

樊善標、葉嘉詠編《陌生天堂：五十年代都市故事選》；

熊志琴編《異鄉猛步：司明專欄選》。

我受的國民教育

「國民教育」要不要成為獨立一科，是熱門話題。許多人問我的意見。不禁細細思量，在香港接受教育的我，從何處獲得國民教育的？我的愛國愛民之情又從何衍生的？

於是我想起小學中學的老師所教。

小學已有地理科。記得是王永照老師，上課時一張大大中國地圖掛好，對著不同顏色的分省圖，板書省名，講物產、地勢、名勝。我第一次從他口中聽到泰山、廬山的無限風光，就記住他日一定要去一趟。他要我們買暗射圖，在課堂上默填省名，告訴我們那是咱們的國土，於是全國盡在心中了。到中學，地理科更深入。楊似蘭老師能徒手在黑板上畫中國地圖，必先把黃河長江定位。銘記她講黃河河套的地形物茂，講民族風貌源起，說洪水為患，及治河工程重要。她講長江流域，特別講三峽急流險阻，形容縴夫逆流拉船的辛苦，留給我一生難忘印象。這印象印刻到八〇年代，與戴天走過長江邊堤上，他指給我看縴夫走過的腳步痕跡，重疊著遙遠記憶，我默然流淚，中國情懷燃燒猛烈。等到高中，江大賜老師以台灣為例講授等高線，他說人家做立體模型就會依等高線，我課餘用濕紙漿試做個台灣立體模型，弄得一塌糊塗，拿去給老師看，他笑著說不是這樣做的，他日有機會教你。他又講阿里山有雲海神木，等到大一那年，我到阿里山去，買了許多照片回來。在中學教書第一年，我送給學生——這件事我早忘掉了，最近一個男生珍重拿來，並告訴我他也為此照片去遊阿里山。

從前教科書簡單，靠老師堂上講解補充，講得入情入理，國民教育盡在其中。

——刊二〇一一年六月四日《明報》副刊「一瞥心思」專欄。

一生記住的校訓

德叔在〈校規的範式〉文中提到舊式校規「是『我』要求自己如何、『我』應該如何。而新版卻是『他律』的：你不准如何，否則會被罰！」

這使我想起《敦梅校訓歌》，小學背誦熟了，影響一生。

敦梅校訓，是朵梅花，花開五瓣：「仁、義、禮、智、信」，中心集一「誠」字，以貫徹之。校長為闡述內涵，寫成每字有八句四言句，至今我仍能背出。

由仁字開始，先從心講起：「仁為心德，人之定則；親親仁民，以及於物；惻隱造端，愛由情出；胞與為懷，力行不息。」譚廣仁老師以不踏草地為例，講「以及於物」，他說：「草都會痛」，我們就記得了。每段都有一兩句叫我們一生記住和實行的，例如義字「義乃事宜，利物和之」，應做的事就是義，簡單得很。「禮重踐履，悉本於理，體天順人，循規蹈矩」，原來對天也應守禮。「智本知識，重在格物；見微知著，進止不惑」，格物與見微，可供一生增長知識，不會落伍。「信在庶孚，澤命不渝」，「行之蠻貊，亦及豚魚」，守信及於其他生命，回應了以及於物。而在這段文字中，我們又認識了「季布一諾」的故事。

「誠謂真實，心志純一」，此段最後一句是「擇善固執」，如何能擇善，守著五瓣便已成物了。這些校訓，從沒設一堂專講，老師不知不覺中舉例，我們就記得了。要求自己，是內化而成，不強求他律管治，才能一生一世。

金文泰中學校訓「文行忠信」，初中一年級開學，李守誠老師國文課開講先說四字來源，他更生動的說：「校徽唔係扣在校服上就算，要成世掛喺心中！」受教了。

——刊二〇一一年六月十一日《明報》副刊「一瞥心思」專欄。

❖ **證**

舊式校規的內容和寫法大致是：我要誠實。我要努力學習上進。我要守時。我對人要有禮。我的儀容要整潔端莊大方得體……之類。然而，社會急變，家長學生和教師間對於何謂儀容端莊大方得體，如何方為有禮，彼此差異甚大。為此我與四位同事開會討論多時，搔破頭皮卻不得要領。最後還是向新界某「第五組別」學校借來校規參考，各人驚歎「大開眼界」。其內容基本上是頭髮的髮腳不可長到貼著衣領；裙長不可短於膝上一吋；黑皮鞋上不可有任何金銀或其他顏色的花紋或裝飾；男生用的黑皮帶寬度只可介乎兩至三厘米之間；校內吸煙罰小過一次；校外吸煙罰小過二次……等。舊校規的行文方式，顯示這等行為操守的準則，是「我」要求自己如何、「我」應該如何。但新版卻是「他律」的：你不准如何，否則會被罰！

——德叔〈校規的範式〉，見二〇一一年六月二日《明報》副刊「教育心語」專欄。

誰教我們愛國

據一般說法，一九九七年前受香港教育的，大部分香港人都在受殖民地教育，即有些人口中的「奴化教育」，即不懂愛國的教育。

可是，每當祖國有難，這個沒有政府教我們愛國的地方，卻不少人都自發愛起國來。從抗日戰爭說起，例子可多。香港曾發起捐款支持祖國抗日，我手頭有許多剪報，都反映了一九三七年後，學生街頭籌款、菜販果販報販義賣、市民一碗飯運動、擦鞋童義擦，藝術界也籌款獻機，各學校成立聯合會籌賑兵災等等，幾乎無日無之。

往後，凡國家天災人禍，大部分香港人都憂戚與共，在自己能力範圍內，盡力而為。一九六二年的大逃亡潮期間，有一則小花邊新聞，我十分難忘。當年，香港有許多小舞廳，每天設下午茶舞。但五月期間，都停業了，因為許多舞女要去新界救濟難民。請今天讀者別想歪了，她們跟平民百姓一樣，帶著食糧藥物，拋給即捕即解的中國同胞。

近幾十年，也不必在此舉例，人人記憶中，都可找到大大小小例子，「血濃於水」四個字，不見陌生。

那個時候，誰教我們愛國？學校也未嘗設立愛國教育，特別讀官立學校的學生，我們愛國之情從哪裡來？

教育官在電視上說在跨科系的教育設計中，要加插德育及國民教育會有局限性，故要另設獨立具系統結構性一科，並發出二百多項諮詢文件，徵詢意見。怎會有局限性？甚麼叫結構性？小學中學，我們都在歷史、地理、國文科中認識了自己國家的民族文化，甚至清明上墳、端午吃糉、中秋賞月、過年利是，均見國民教育所在，有何局限？

設計好中國語文科、中國歷史科、中國地理科，就能教好愛國教育！

——刊二〇一一年六月十二日《明報》副刊「一瞥心思」專欄。

❖ 證

戰前聲勢最浩大的合唱活動莫過於一九四一年四月開始的「獻機」運動。歌協（香港歌詠協進會）組織了全港四十多個合唱團體，希望組成千人合唱，籌款購買戰機抗日。

——周光蓁《香港音樂的前世今生：香港早期音樂發展歷程（一九三〇至一九五〇年代）》，香港：三聯書店（香港）有限公司，二〇一七年，頁二八四。

墓的追尋

十年前，辦了一次「香港文學散步」，帶著師生一大群，去追蹤文人路過香港行事或埋身之所。曾有參加者總結感想說：為甚麼要去墳場？這與我當年在日本友人帶去墓園的第一反應相似。

外國墓園，多見幽雅布局，碑文也常有警語雋言，充分表現墓中人的思想個性。中國名人墓地多佔一方，墓誌銘長篇大論往往叫人以瞻仰心情去憑弔。香港墓地，除了早年墓園，設計尚有幽雅風景外，近幾十年由於地少人多，總排列密密麻麻，去掃墓必須踏過許多別人的墓，很不禮貌。遠望墳場，層層疊疊，光禿禿，並無美感。故要從墓的追尋，去感受文化歷史氣息，實在為難。

當年我追尋許地山的墓，真是踏遍香港基督教薄扶林華人墳場，幾經艱難才找到那半頹石碑，只見台階破裂，字跡模糊，令我傷感。後得我那經營墓葬生意的學生，義務代為修理，才保留今天面貌。多去了幾次，一位守園工作人員告訴我，這古老墳場還埋葬了許多有名文人，我問有沒有墳址可查，他說沒有。這點可能舊時紀錄不清，但時至今日，已有電腦幫助，還是查不到，我去荃灣華人永遠墳場查唐滌生墓，管理員說資料不能亂告訴與唐氏無關的人。也許這是香港法例，我不清楚。

追尋文人墓地，並非圖謀打擾，只想有機會一表追思之念。我手頭已有些文人的墓址，本想也寫些文字表述，可是想到香港人沒有墓園追蹤習慣，又怕真的打擾泉下人，只好作罷。

——刊二〇一一年八月二十八日《明報》副刊「一瞥心思」專欄。

二〇一二年

歲末扶杖行

不是迷信，卻真的鬥不過本命年，竟然要一跛一步走路。一隻兔仔跛了腳，不能亂竄蹦跳，理該修心養性，好好躲起來。

可是，每年年底，我總有個習慣：上山頂一趟，到尖沙嘴海旁一趟，獨個兒遙望港九。今年不想破例，我只好扶杖而行。

那一個好天黃昏，站在人聲噪鬧的尖沙嘴海旁。老少遊客匆匆拍些照片，或匆忙上船遊河去，沒幾個人會久站。這樣旺盛的人流中，恐怕只有我知道，這個地方從前叫大包米，在鐵路旁，面對頗有燈火的香港層層疊疊山景。一年年，山景給如柱如牆的樓宇遮去，我努力試去認出它們的名字，記憶它們佔地的原來樣貌，可是眼看高樓均非舊貌。有一個小秘密，每逢好天良夜，我站在這海傍觀看港景，就微微想哭。也許，隱隱那段孔尚任的曲情作怪：「誰知道容易冰消！眼看他起朱樓，眼看他宴賓客，眼看他樓塌了。」怕只怕把五十年興亡看飽。

今年上山頂，不能繞行一圈。夾在外省話語中，我，細看山下維港動靜。愈來愈狹窄的海，看似不泛波瀾，只有踏上天星小輪跳板的時候，你才驚覺暗湧如此強烈，令人腳步不穩。海，有被佔據了的不忿憤怒，只有人並不察覺。還有幾支高得與視線不協調的建築物，掛著囂張的名字，在地平線上招惹沙塵。

大電視正播著選二〇一一年世界十大新聞的廣告。自然界、國族、人類，正面臨地動山搖，崩析解體。社會良心四個大字十分刺激。

我扶杖漸行漸遠！

——刊二〇一二年一月一日《明報》副刊「一瞥心思」專欄。

二〇一二年

拜年

壬辰年至。忽然想起拜年這禮儀，在我已甚生疏。

童年過的農曆新年，是隆重繁瑣。母親執禮甚嚴，從年廿幾就準備一切：打掃祖先神位、為灶君門官土地簪花掛紅、蒸糕炸角，每樣都要我做些工作——父母一定要我做些較輕易工作，不能躲懶。還有最重要的是從大年初一起，就會人來人往拜年。先是一家大小齊到堅道大宅向長輩拜年。下午就在家裡等親戚來拜年，初二開年以後，都有朋友來，熱鬧得很。過幾天，母親總會惦念著還有誰未來，因為守禮的人不會不來，不來當有甚麼特別事故。

父母去世後，家中只有卑輩，一切親友都不來了，我也不再去大宅，只循禮向老師拜年。特別是中學大學的老師，我們同學總不忘約好上門執弟子禮。漸漸老師也去世了，我再沒有甚麼長輩要去拜年的了。年復一年，我幾乎忘了要向誰拜年這回事。

正在看一位作家日記，只見他筆下記錄清楚每一年拜年行事，友輩你來我往，執禮如儀。明明大年初一甲先生來家拜年見過了，第二天他還禮又去甲家拜年。平日事忙，難得不為公事碰頭，拜年正好生張熟李見見面。

現在人要見面，不必等到過年，溝通方式多著。有些人甚至避年外遊，免卻交際應酬，我有些年也這樣做。近年，忽然想起，還有幾位認識的長輩，平日只偶爾見面，不敢多打擾，是不是也應該趁過年，去向他們拜年致意。他們是上一代人，大概還會認為卑輩應守拜年禮數。

——刊二〇一二年一月二十一日《明報》副刊「一瞥心思」專欄。

❖ 證

一九五三年二月十三日

農曆元旦，十一時起身，午飯後，至林靄民處拜年，以前每年都去，現雖不做社長，但仍應一去，以免被人説人情淡薄。又去君葆處。

……

一九六八年一月三十日

今日為農曆元旦，未能免習俗，下午出外拜年，往馬老太，君葆，及羅承勳處。

……

一九七四年一月二十四日

正月初二，午後往君葆處拜年，又偕中敏夫婦至羅承勳家，然後至中敏家晚飯，歸來已近十一時矣。

一月二十五日

今日為正月初三，本地人稱為「赤口」日，相見易口角，忌到人家拜年。但仍有人來拜年。

——盧瑋鑾、張詠梅箋注《葉靈鳳日記》，香港：三聯書店（香港）有限公司，將於二〇一九年第四季出版。

讀《聽雨樓隨筆》

牛津大學出版真大手筆，一口氣為文史掌故專家高伯雨先生出版十冊作品。其中一至七冊是他寫得時間最長的專欄「聽雨樓隨筆」（包括「望海樓雜筆」）。從前雖多在報刊上斷斷續續讀過，可是只得個總體印象，某些篇章記得一點一滴，今回重讀，才知道記憶不可靠，像讀新書似的。

文章包含許多掌故，我最感興趣的是香港文壇故事。不妨說說似不為一般人所知的兩則。

簡而清，二〇〇〇年前的報紙讀者、馬迷，沒有不知道這名字的。他既是著名馬評人，又是專欄作家、飲食家、玩家、麻雀專家。如果我說簡而清是高伯雨，一定為識者笑。幸而是高先生自己說的：「一九五八年，我為新加坡《南洋商報》寫稿，用的筆名很多，不知怎的，簡而清也是我的一個，而不知香港有個真真實實的人名叫簡而清，且為老友之子，宜稱為世講者也。這個筆名用了好多年，到一九六四年才停用。」日後有誰研究簡高兩位，必須記住這個掌故。

哪一天，細心讀者發現報上專欄文字，竟是二十年前刊過的，今天叫「翻炒」，高先生稱之為「回鍋飯」，心裡會怎樣想？大概認為作者騙稿費了，或說沒有可能如此情況。果然有此情況，但與作者無關。原來八十年代某月，高先生小病數日，他寫專欄的報紙編輯，竟把他在一九六〇年刊過的舊作來個回鍋飯。這真是聞所未聞，我不知道編輯好心還是有意靠害，以後研究者找到這回鍋飯，一定會把這筆賬算在高先生頭上，那又是一樁冤案。

——刊二〇一二年一月二十二日《明報》副刊「一瞥心思」專欄。

參

❖ 不敢僭越，只想為高伯雨先生文章補註一筆，以引出另一位不多為今人所知的作家。在《聽雨樓隨筆》（卷六，頁二五一）〈終於相識的朋友〉提及他在《香港時報》寫稿，「李秋生先生約我面談時，還約了副刊主編陳先生（他的大名忘記了，只記得兩字中有個「錫」字的）在座。」大概當日沒交換名片，高先生記不住他的全名。今回我且作補註如下：當年《時報》副刊主編是陳錫楨先生（一九一三——一九九二），寧波人。四十年代末到香港，曾主編《上海日報》，編《香港時報》副刊時間最長。他在副刊常以「圓慧」為筆名寫小段專欄，我們後輩見面多稱他圓慧先生。但他卻多用「易金」寫作。

——小思〈補註一筆〉，見二〇一二年二月五日《明報》副刊「一瞥心思」專欄。

證

❖ 牛津大學出版社在高伯雨先生逝世二十周年之際，分十卷每卷近四百頁隆重出版高伯雨系列。高先生寫隨筆，以廣泛的興趣見稱，上知天文，下識地理，旁及巫醫星相。於學無所不窺；從政治、經濟、社會、教育以及各部門的文學，甚至金石書畫，他都有濃厚的興趣。文字深入淺出，雅俗共賞。

——香港牛津大學出版社二〇一二年《聽雨樓隨筆》書介，網上讀取：https://www.oupchina.com.hk/en/book-detail/15917

一星如月——悼念陳之藩先生

「我所謂的到處可以為家，是因為蠶未離開那片桑葉，等到離開國土一步，即到處均不可以為家了。」

「古人說：人生如萍，在水上亂流。那是因為古人未出國門，沒有感覺離國之苦，萍總還有水流可藉；以我看，人生如絮，飄零在此萬紫千紅的春天。」

「宋朝畫家思肖，畫蘭，連根帶葉，均飄於空中。人問其故，他說：『國土淪亡，根著何處？』國，就是土，沒有國的人，是沒有根的草，不待風雨折磨，即形枯萎了。」

以上是我大學一年級懂得背的文章片段。陳之藩先生〈失根的蘭花〉，對從未離開過香港，又從未到過內地的土生土長香港青年來說，有一股似是似非，如真如幻的朦朧感覺。讀著整篇文章，卻又恍惚感受到離國之苦，如絮飄零，特別那段「國，就是土，沒有國的人，是沒有根的草」，深深嵌入了心底。我在香港長大，就憑這些文字，鑄就了家國之思了。

一直追讀陳之藩先生的散文，在一位理工科學者的筆下，接受情理兼備的養分，我常以陳先生為師。在五六十年代，講去國之悲的文章不是沒有，可是多在個人遭遇的情愫著墨，不太能說服我們這些沒離過出生地的人。陳先生文章就能在情之外給出一些道理來，讓我們循理思索。

陳先生孤獨的異鄉人身份並不令他迷糊，往往能歸結出可行的途徑來。我喜歡他對羅素的描寫：「清澈如水，在人類迷惑的叢林的一角，閃著一片幽光。」陳先生也一星如月，閃著一片幽光。

——刊二〇一二年三月三日《明報》副刊「一瞥心思」專欄。

❖ **證**

二〇一二年二月二十七日《明報》中國新聞版：〈龍應台悼陳之藩：他長存記憶裡〉，內文報道：「著名作家陳之藩前日（二十五日）下午三時於香港威爾斯親王醫院病逝，享年八十六歲。台灣文建會主委龍應台昨日表示，「陳之藩就在我們不滅的溫馨記憶裡」。陳之藩生於一九二五年六月十九日，是英國劍橋大學電機哲學博士。雖然是科學家出身，他卻擅長寫作散文，著名作品有《在春風裡》、《劍河倒影》、《一星如月》、《時空之海》等散文集。」

白馬湖圓夢

之一、真的到了白馬湖

念初中時，讀豐子愷散文，才初識白馬湖，也並非真正識得，只因豐子愷的小楊柳屋建在湖畔。讀夏丏尊〈白馬湖之冬〉，僅記住「那裡的風，差不多日日有的，呼呼作響，好像虎吼」，和一家人在室外吃午飯，「忽然寒風來了，只好逃難似地各自帶了椅櫈逃入室中」的情節。等到教中學，備受教育政策的強制，始恍然豐子愷「學生相」群像的真實，遂追溯二十年代他們在白馬湖畔設立春暉中學的故事，沿一條發展路向，尋蹤到立達學園、開明書店，解讀一群關懷教育、溫柔敦厚的文人老師的艱難尋路心思。

幾十年來，白馬湖，不過是一個理想教育所在的符號，一個不講革命鬥爭，只求教育實踐的群落。後來學者因他們文風相近，稱之為白馬湖派，那已經遠離白馬湖在我心中的象徵意義了。

白馬湖，不是旅遊名勝，但在三十年代文人筆下，倒留下美譽。我一直惦念著小楊柳屋、平屋的真正模樣，偶爾也想起良師雲集的春暉中學，可是，只不過想想，以為那是個夢罷了。

動了真的要去白馬湖之念，是香港藝術館要辦豐子愷漫畫展，香港電台電視部拍了《情迷博物館》，讓我知道小楊柳屋、平屋還在，春暉中學還在。去過的負責人回來，眼神閃亮著的欣喜，簡直如磁力感應了我。剛巧他們都希望我為展覽會紀錄片講幾句話，在哪裡拍攝呢？我即時反應是：我自費隨隊，到白馬湖去。

就這樣，我真的到了白馬湖！

之二、教育理想國

一九二二年，上虞人跡鮮至的白馬湖像緣訂前生，竟給一群懷大愛、抗官家迂腐教育建制的教育家選中，群聚在「湖在山的趾邊，山在湖的唇邊」的一片土上，為他們信奉的教育理想服務，建立了中國第一所不聽官命的私立男女中學——春暉中學。

夏丏尊為首，以培育學生人格為主的理念，吸引了二十多歲的青年教師：豐子愷、朱自清、朱光潛等都到了白馬湖來。

讀豐子愷的漫畫《學生相》，那頭頂一百分的惡魔手壓苦口苦臉的學生、那巨手按著小孩子入餅模、那用泥倒模成相同模樣的學生公仔，都標題為「用功」、「教育」，就可知道他對官辦教育的痛切。還有對如留聲機般依書直唱的「某種教師」的諷刺，相信他們都要在這裡實行改造，讓師生在大自然懷抱，自由活潑的「讀書的picnic」。

這群文化人，住在「四山擁翠，曲水環之」的好山好水之間，並非無憂。他們擔心以一純化環境培育學生，也有毛病。朱自清懷疑學生「鄉村生活的修養能否適應城市的生活」？夏丏尊生怕學生在清潔幽美校園中，會「染蒙滯昏懶的壞習」。二十多歲的青年老師，帶著無限天真，要帶著比他們更天真的學生活在理想國度，可以預知前路不會盡如人意。幾年後，問題還是出自不同人的思想差異，他們也只好離開白馬湖，重投熱鬧得寂寞的大城市去。

我不認為因此這教育理想國失敗告終，因為，春暉，似一抹朝陽，曾露過曙光，印刻了理想教育的試驗痕跡。往後，他們建設了更寬的園地。

之三、白馬湖初睹

地理書上，查不出白馬湖身世，在現代散文中，卻屢見蹤影，但讀來未免一知半解。朱自清說有個小湖有個大湖，我以為那裡有大小兩個湖。俞平伯說坐滬杭甬火車，應在驛亭站下車。現在已無這鐵路線，滬杭高鐵當然沒有驛亭這個古意盎然的小站頭了。我從杭州乘七人車直駛上虞，一路不見昔日文人筆下荒涼，上虞，已是七十多萬人口的城市，只有到了春暉中學後門下車，過了小橋，方覺文人也不作虛飾之言，幾十年前白馬湖綽約影子依然。

小橋跨過的不是河溪，是白馬湖收窄部分。沿著湖邊小徑，即見湖畔四戶小院，粉牆黛瓦，護住小屋數間。引路人嚴老師車老師細意指點，遂見環湖植樹，湖面向左方逐漸開寬，所謂大湖小湖，不過是湖面曲折而已。

這湖不誇飾，純雅無華，沿岸遍植綠樹——柳樹依依，卻不多，春未深，綠意已濃，幾株白玉蘭怒放。湖水本靜，微風吹來，顯著款款波光，此際恍然「粼粼」二字，是如此生動。

整個下午，靜坐在湖畔石上，只聽鳥語呢喃，人跡罕至，偶有一二村民路過，也各不打擾。我一心如洗，雜念全消。

凝睇著遠山迷濛，想起朱自清那柔筆寫來：「湖將山全吞下去了，吞的是青的，吐的是綠的，那軟軟的綠呀，綠的是一片，綠的卻不安於一片，它無端的皺起來了。如絮的微痕，界出無數片的綠。」這美，是天地巧功。不作旅遊名所，白馬湖得保住了貞潔，是山水之幸。

面對有情湖山，當年文秀俊才，怎不動心？

之四、小楊柳屋的靈仍在

在白馬湖畔的小徑走，本應先睹弘一大師曾駐戒杖之晚晴山房。不過，我卻先到隔鄰的小楊柳屋。這是造就豐子愷先生藝術美育人生的靈氣所在，小庭院低矮平淡，窗牖滿接庭外風光，正合豐先生平和求美性格。

豐先生愛一如江南柔美的楊柳，初到白馬湖，即在小院牆角植了一株楊柳，他曾說楊柳美在：「愈長得高，愈垂得低。千萬條陌頭細柳，條條不忘記根本，常常俯首顧著下面，時時借了春風之力，向處在泥土中的根本拜舞……我不嫌它高，為了它高而能下，為了它高而不忘本。」今天小院內不見楊柳，只植了梅樹，幸而屋外湖畔仍見柳影，悠悠回應著豐先生的心思。

進了內廂，屋角放著一座老式鋼琴，破敗零落，滿體滄桑。嚴老師說只有這是豐先生彈過的原物。九十年前，他在這屋子裡用它彈過弘一法師的《送別》，譜過春暉中學的校歌。嚴老師說彈不響了，只是春暉捨不得掉。九十年後，我遠道而來，那麼親近著它，豐先生的手澤留在上面，我忍不住，手指輕輕撫摸。停在一隻蒙塵的鍵上，竟不自覺彈了一下，一下清脆琴音響起，孤單的一個音，遙遙的，來自破琴還是天上？寂寥中，餘音蕩漾，我彷彿見到豐先生剛坐在琴前彈完一曲，站起來，走出去了。

上午的陽光從小窗斜照進屋，清風縷縷，我站在小庭院中，看那株梅樹枝幹蒼梧，忽然想起當年豐先生親植的小楊柳該在甚麼位置，如在附近，豐先生每天當在這裡喝老酒。

之五、平屋聯想

小楊柳屋隔邊上，就是夏丏尊的平屋。面積大些，前庭植了許多樹木，幾間房子，總體格局比小楊柳屋豐富得多。

據說當年兩三里內沒有人煙，是個荒涼山野所在。春暉在此建校，校長經亨頤就為了遠離繁囂，好讓學生靜修，與他有共同理想的夏丏尊也吸引了一群年輕文化人到這裡來，構成一道人文風景，與山水互攝。

今天的平屋，跟一般小院平房沒大分別。可是站在客廳裡，我不禁把朱自清筆下繪本重溫：「湖光山色從門裡從牆頭進來，到我們窗前、桌上……他有這樣好的屋子，又是好客如命，我們便不時地上他家喝老酒……白馬湖最好的時候是黃昏。湖上的山籠著一層青色薄霧，在水裡映著參差的模糊的影子……這個時候便是我們喝酒的時候。我們說話很少，上了燈話才多些，但大家都已微有醉意，是該回家的時候了。若有月光也許還得徘徊一會。」如此，豐子愷的成名漫畫〈人散後，一鈎新月天如水〉，就立刻在眼前浮現。一堂俊彥，話不多，心底卻蘊滿對青年教育的理想。而夏丏尊在平屋，完成翻譯亞米契斯的《愛的教育》，影響了中國好幾代人。他深信「教育沒有了情愛，就成了無水的池」。在紛亂世代中，堅持以情為發動，使學生養成「健康力、想像力、判斷力、記憶力、思考力、忍耐力、鑒賞力、道德力、讀書力、發表力、社交力」，這種種想法，都在平屋的無數日與夜裡成形。春暉中學是試驗場，往後遂成就了開明書店的果實。

之六、水令人空

從平屋出來，我仍徘徊在小楊柳屋前。湖畔小徑，曾印過多少溫柔步跡，蔡元培、夏丏尊、豐子愷、朱自清、俞平伯、朱光潛、陳望道、劉薰宇……他們都滿懷教育理想，在這裡實踐過。蔡元培說羨慕春暉的學生，因為他們能「在這樣好的風景之中」，獲得「愛美的情」。

整個下午，我坐在湖畔。微風吹綯的波光，一道一道在眼底流動。沒有一鈎新月，溫煦陽氣只在冉冉的波光中浮著，忽然，我驚覺「逝者如斯」。抬望眼，天也如水，當年那群人曾在水天一色的自然美景中，講了心底話，喝了酒、品了茶。明人陳繼儒在《幽遠集·十七令》中說：「香令人幽，酒令人遠，石令人雋，琴令人寂，茶令人爽，竹令人冷，月令人孤，棋令人閒，杖令人輕，水令人空……」此處樣樣俱備，造就了一種美，孕育了無瑕的心境。

春暉中學，初建選址於白馬湖，就因臨水之美，且村居絕少，好讓學生坐享自然之美，不受外界牽制。創校校長經亨頤說：「我以二字概括表示曰『淺』和『漫』——並非我好玩弄文字，找得兩個都是水旁的字，來描寫白馬湖生涯。」他用這兩個字，還是有點別的意思，我卻斷章取義借用了來說白馬湖的象徵。這群理想教育工作者，在這環境中，以空為本，不講功利，不靠制度，如水一般浪漫自然，以培育下一代。可惜，現實並不能空，只有少數人能空，大眾是不能空的。終於，他們離開白馬湖的水，重回實土，以更有效方法去教育人。

之七、今天的春暉中學

真沒想到一九二二年正式招生開學的春暉中學，竟延續不斷，發展至今，且成為規模宏大的名中學。

踏進校園，走在新舊校舍之間，方信創校校長經亨頤訂立的校訓：「與時俱進」，果然行之有效。

頗令我驚訝的是舊日院舍竟可保留至今。當年為了表示人的自由與無界限，校園是「無牆無門」，只讓白馬湖山重水複作護蔭，就正是柳亞子筆下「紅樹青山白馬湖，雨絲煙縷兩模糊」的景致。故建築多獨立在大地上，為遮風雨，每幢均用紅木構成長廊連接。這些木構迴廊，現在剩下不多，但舊舍全在，廊過處遍植玉蘭芭蕉。我最喜歡它們的命名：教室宿舍分別稱「望湖樓」、「仰山樓」、「西雨樓」、「蘇春樓」、「矩堂」、「曲院」，而矩堂樓下課室門外，懸著昔日任教老師名字，一派沉厚文化傳承氣息。

我一生教學，見學生甚多，可是在春暉校園中，卻逢到一場前所未見的青春浪潮，非一記不可。那天拍攝完畢，我們走出主道，準備離去。誰料在半途，恰巧遇上學生下課，從某個地方散出來，男女學生像一股潮水，人人面上陽光笑意，衝向我們。我剛好一人獨行，如逆流的小草，很快就陷入大潮裡了。跟他們迎了照面，不約而同，只要有目光接觸，他們都帶笑打招呼，有幾個女孩子還輕聲說：「奶奶，您好。」這場景，生平未見。

拍攝人員也訝然，我卻不懷好意以為偶然。於是決定第二天再準時到主道上等待。完全一樣的場景再現，才相信是常態。

之八、春暉的政治課

我偷聽了一堂春暉中學高二第十五班的政治課！

說偷聽是真的。話說拍紀錄片的導演要拍些學生上課片段。車老師安排他去拍一堂政治課。我一聽是政治課，即時強烈反應是：「哦！宣傳招數出台了。」我不懷好意絕對有前因。自文化大革命末期，我開始到內地「交流學習」，就明白看到的都是「被安排」的情節，受多了便學懂怎樣選擇、分析。因此，最愛旁聽講課的我，對導演說我不進去。可是，我實在忍不住，看年輕的朱老師和一室學生在上課，太吸引了。「且看你們怎樣上宣傳政治課」，我依舊不懷好意地告訴自己。因此，我站在課室門外聽。

咦！政治課單元題目是「文化傳承與創新」？朱老師輕鬆打開電腦簡報，出現的文字是「實踐是檢驗文化創新的重要標準」，然後是一幅青花瓷瓶圖片。這個開場很特別：她問學生，這青花瓷，你們想起甚麼？有學生竟然答：周杰倫。大家都笑了。老師點點頭。我倒懵了，怎麼跟周杰倫會拉上關係？老師繼續說：「收藏家馬未都說他在中央台講了多次青花瓷欣賞，效果還不及周杰倫唱的一首流行曲。證明文化傳播要靠實踐，接近人民大眾……」

課繼續上，師生有問有答，把文化傳播途徑、態度一一推展地講著。年輕的老師不見得樣板硬銷，我最懂看學生表情，他們並不見得硬啃，一堂政治課是這樣上完的。

小息時，學生嘻嘻哈哈，有人拿零食在吃，有人在堆滿功課本和毛公仔玩具的書桌邊閒聊。

這堂課，令我想得很多。

——共八篇，刊於二〇一二年四月二十一、二十二、二十八、二十九日、五月五、六、十二及十三日《明報》副刊「一瞥心思」專欄。

❖ 參

寫完八篇白馬湖與春暉中學，才讀到內地李鎮西老師的〈白馬湖尋夢〉和〈我的春暉夢〉，赫然發現我們是同夢；只是我滿懷歡喜的圓了夢，他卻在苦苦尋夢。他感慨「今天的春暉真的與過去春暉一樣嗎？漫步於白馬湖畔，我愈來愈強烈地感受到，我們今天所追求的素質教育之夢，是早已在春暉校園內出現過的真實的景觀；但不知從甚麼時候起，這道景觀漸漸失落了，以至於它成了我們今天嚮往的一個『夢』」。……原來，今天中港兩地的教師，都處於「應試時代」。校方家長大多以學生升學指標與成績「鑑定」教師水準。李鎮西問了春暉中學校長一個問題：「『如果今天朱自清還在春暉中學，他的高考成績會怎樣？』校長無奈地苦笑道：『如果朱自清還在我們學校，那他的升學成績說不定還不如一個二級教師！』」

——小思〈同夢異果〉，見二〇一二年五月十九日《明報》副刊「一瞥心思」專欄。

❖ 李鎮西〈白馬湖尋夢〉和〈我的春暉夢〉見以下網頁：http://www.ruiwen.com/news/9555.htm
http://blog.sina.com.cn/s/blog_c1e975e50101kuw4.html

二〇一二年

作別崇蘭中學

創校於一九二三年的老校崇蘭中學，屢經遷徙，努力求存後，終要結束了。

我與崇蘭中學並無任何關連，但隱隱哀思繫之，在此為文作別。

我「認識」崇蘭，追源於近世重要教育家陳子褒先生，因他又追源他的兩個出色女學生：冼玉清、曾璧山。冼玉清材名滿嶺南，她進陳子褒辦的「灌根學塾」，奠下國學根基，稱老師為「改良教育前驅者」。曾璧山則追跡老師的辦學步履，老師去世後第二年，在香港創辦崇蘭中學。陳子褒署其讀書處為「崇蘭書室」，學生把學校命名崇蘭，自有深意存焉。

小時候路過跑馬地口，母親總會提起曾璧山與崇蘭中學，這是在我心中留下印象的原因。有其徒追源其師，我才知道陳子褒對改良教育的貢獻。他充滿民主、民權、平等思想，講求通今化俗，力主教育平民化。他對教育有下列要旨：「一曰不倚賴政府。二曰不倚靠產業。三曰提倡忍耐。四曰提倡女權。五曰提倡以善勝惡。」

一九一四年，陳子褒應鍾榮光所約，為《嶺南學生報》復刊作序，其中有「欲新中國，必培養未死之人心；欲培養未死之人心，必由當世未死之人。」足見他對教育的重視態度：一切新民，必自基礎教育做起。這種精神，更可從他署名可見。他的居所叫「造甎齋」——是建屋基材。他書齋名「崇蘭書室」——蘭有幽香解穢，蘇轍詩：「知有清芬能解穢，更憐細葉巧憐霜。」他的學塾稱「灌根」——培植根本。

由此也證明曾璧山命名學校為崇蘭的深意了。如今一切，俱往矣！

——刊二〇一二年七月一日《明報》副刊「一瞥心思」專欄。

證

❖ 二〇一二年一月十八日《文匯報》教育版：〈殺校潮下先陣亡 八十八載崇蘭「安樂死」〉，內文報道：「反殺校集會、救校請願、護校音樂會，一幕幕的『抗爭活動』，在崇蘭中學師生心中，留下的印記不會被忘懷；儘管學校的名字，正漸漸從教育界中淡出。隨著二〇一二年後，香港全面進入三年制高中的新時代，有近八十八年歷史的崇蘭中學，亦終完成歷史任務正式停辦，成為殺校潮首名『犧牲者』。在最後不足二年的剩餘日子，該校拒絕愁雲慘霧，校長蔡偉雄稱，學校上下都認為應宣揚正面文化，活用人數漸少而騰出的學校空間，營造熱鬧氣氛。只因盡力爭取過，總能欣然面對結局。」

二〇一二年

黃奇智的那些日子

站在大會堂低座的展覽廳內，聽見黃奇智的聲音：「實在太好玩嘞！……好睇！……過癮！」原來他正通過攝錄機看葉、看花、看鳥。他正游移在另一世界裡。

外邊陽光照進來。他的畫架，撐開在寬廣的地板上，畫筆用了好久，就躺在那調色板附近，一頂草帽，閒閒放著。一切恬靜如此。他就剛剛放下畫筆離去。

他寫〈苦了月亮〉，曾為月亮抱不平，埋怨詩人詞家把哀怨感傷挪到月色上去，「令月色也添上化不開的苦澀」，於是他仿豐子愷「人散後，一鈎新月天如水」畫了一幅，還寫著：「看這畫，但覺穹蒼萬里，開闊中帶著好多微妙的層次——是惆悵，還是兩三知己暢談，遺留下來愜意的餘韻？悠閒恬靜，這內中是否也帶有些憶故人的離思？無窮回味，這向來是一幅很喜愛的畫。起碼，這裡邊的月亮不苦。」對的，你心中眼底的月亮都不苦。寂寞中有美，這是你的日子。我喜歡你的學生為你發的訃聞：「梅梢外，還有更遠的月亮，用人間的智慧是看不透的。」你在人間已參透了，如今灑脫游移到另一世界裡，更透澈。

你病中，我們曾談起京都廣隆寺的彌勒菩薩像。對那泛起的安詳微乎其微的笑意，都有講不完的話。等讀到你寫〈覺悟的笑〉，我才知道你看得比我深太多了。你說：「歷盡萬劫，潛心思維，恍然便進入徹悟的境界了。菩薩臉上也就泛起了安靜、平和的微笑……這覺悟的笑，大概是天地間最美的笑了。」

我難忘，你在病牀上的那一笑。

——刊二〇一二年七月八日《明報》副刊「一瞥心思」專欄。

❖ **證**

黃奇智才華過人，是一位兼通文學、電影、音樂、攝影和繪畫的才子。不幸於二〇一〇年四月二十日病逝，終年才六十三歲，生前友好和學生均感惋惜和懷念！二〇一二年六月二十四至二十七日，在香港大會堂低座展覽廳舉辦了「黃奇智——藝術的生活」，展出他的油畫和科媒版畫等遺作。

——蕭滋〈才子型畫家黃奇智〉，見二〇一二年八月《城市文藝》總60期。

路途艱辛

錢穆老師寫新亞校歌：「路遙遙無止境」，到今天，咀嚼了人生幾十年，方知這六個字飽含多少艱辛，也始體會「艱險我奮進，困乏我多情」十個字中，「我」字的前輩如何犯險除厄。

據當年錢先生教過的老學生回憶，錢先生堅信的是「入乎時代之中，出乎時代之上，才可見歷史真相」。故老師以一介書生，布衣終老，不肯投身政治。匡互生認為「我們堅信腐敗的教育不能解決糾紛的政治，糾紛的政治，更不能改良腐敗的教育……對於教育有覺悟又抱決心的志士，在這積弊之下，不是感受處處牽制的痛苦，就是被熔化於這種洪爐烈焰。倘若我們還不及早從依賴官辦教育的迷夢中警醒，將來病根益固，恐至於無藥可醫的地步了。」我深信前輩所走路途萬分艱辛。

錢先生頂住或明或暗政治的干預，唐君毅先生數入港英官衙抗拒禁懸旗命令，都為了不使教育受政治掣肘。如今想起，他們路途艱辛得很。我們當學生的，朦朧迷糊地跟著他們走，並不曉得前輩艱險困乏。

今天，目睹年輕一輩，同樣走上一條艱辛險苦的路途，看著他們清純面目，在複雜成年人世界的糾纏中顯得更清純，我心很刺痛。對他們要面臨的困乏，我擔憂更多。

此際，已非三言兩語可以道盡我心中感受。僅借比我年輕的安裕文章〈感謝你們〉末段：「你們以後的路途艱辛還多著，香港巔巔不平的不會少；把身體鍛鍊好，多些讀書閱報，多走多看，擴闊視野。你們還年輕。」向你們致意。

——刊二〇一二年九月八日《明報》副刊「一瞥心思」專欄。

冒汗青龍

電梯門一開，衝進高大健碩、赤裸上身的大漢。我冷不提防，吃了一驚。也許我神情異樣，漢子對我朗聲說：「對唔住，嚇親你。」

我抬頭，尷尬說沒關係。我站在他身旁，高度還不到他肩膊，未見清楚他的臉，只見他左臂上紋刻著一條巨大青龍，汗水滴溜溜在龍身冒出來。

剛在家聽天氣報告，攝氏三十三度，電梯裡已鬱悶得很。看著他冒汗，我竟忍不住說：「天氣真熱，你辛苦了。」他又朗聲回答：「習慣了，不辛苦。」其實，我也弄不清楚自己為甚麼會對他說話。電梯門打開，他側身讓我先出。從電梯到正門有一小段路，他竟繼續對我說：「自己用勞力賺錢生活，不要嫌辛苦，出汗唔算得乜嘢。」一邊走，他揚起左手抹臉上的汗。他很高，我依舊只看到臂上的青龍。

他要到正門外的行人道上搬建築材料。他先快走一步，把門拉開，做了個請我先行的手勢。我仰頭說謝謝，仍見左臂青龍在冒汗。

紋身大漢，這樣子有禮，這樣子說話，是不是形神不相配？多少斯文白領在我推門他便搶先進出，或我跟進門他不順手帶門？最近也往往見到男女知識分子青筋暴現，擘指而罵，又另一種形神不相配。

晚上忽然想起，我完全忘記看他的面容。可是他朗聲說的幾句話，我記得緊。現在眼前，仍忘不了那條冒汗青龍。第二天，我以為還會遇到他，也許該一觀他的面相。可是，沒有遇上。

我又想起哈哈笑為我搬過三次書的孫師傅，冒著汗也說過不怕辛苦只求把工作做妥。

——刊二〇一二年九月九日《明報》副刊「一瞥心思」專欄。

再講春暉中學一則舊事

講了夏丏尊、豐子愷諸先生懷著滿腔教育理想到白馬湖春暉中學任教的好故事，我要再講另一則故事。

在春暉中學不足三年，由於省城派來了國民黨色彩的老師，負責教學與訓導重任，好一個世外桃源就陰霾密布。除了黃源「氈帽事件」惹出爭議外，根據當時學生魏風江回憶：「不久以後，學校被迫要添置『黨義』一課，要做紀念周，要唱黨歌。提倡李叔同（弘一法師）所作歌曲最熱烈的豐先生首先表示對教黨歌敬謝不敏。」這件事不見豐先生表述過，但一九二四年十一月二十五日豐子愷辭職，則見於朱自清日記。跟著匡互生、夏丏尊、朱光潛都離開了。魏風江如此描述送別場面：「在一個曉風殘月的早晨，匡先生豐先生等幾位突然離去的老師們，帶著不多的幾件行李，在驛亭火車站上候車，幾個最先獲知先生們去意而來送別的學生，依依地立在老師身邊，有兩三個靠在柳樹下嗚咽起來。火車帶著老師離站好久以後，學生們還在車站黯然站著，不肯離去。」

給我寫白馬湖風光吸引的朋友，別責怪我先講好的故事，斬件再說壞故事，好煞風景。

但人生途上，遇上好事壞事，在所難免。他們一群堅執教育理想、不氣餒的教師，白馬湖聚首，是個好開始，往後不忘本意，重會上海，建設了立達學園，再後來，眾志成城，創辦開明書店，為中國未來幾十年教育文化奠定良好基礎。

萬事起頭難，下去更不容易，但共同走出另一條大道來，這不叫妥協，叫堅持！

——刊二〇一二年九月二十三日《明報》副刊「一瞥心思」專欄。

葉天底的故事

校長出了一條修身課習作題：〈寒假回家如何實行關於家庭之修身教材，試預述之〉。一個中學生簡單如此作答：「余均已行於未聽之先。」

校長收到這樣答案，你道後果如何？他在日記這樣記著：「此生固休矣，而余亦受一刺激，不可不反省。」

這個學生叫葉天底，我很早就在豐子愷〈為青年說弘一法師〉文中見過這奇怪名字。李叔同出家前夕，把豐子愷、葉天底、李增庸三學生叫到自己的房中，幾乎把室內的所有東西都送給他們。我看過後只記住豐子愷，沒理會其他兩人下落。

從春暉中學回來，我展開了對創校校長經亨頤的事跡上下追蹤。竟然再見這名字。

他一九一六年考上由經亨頤當校長的浙江第一師範——那是家五年制的中學，簡稱一師，後來成為中國教育史及共黨革命史上人才輩出的基地。資料沒記錄他跟弘一法師學些甚麼，老師送些甚麼東西給他。只從同學曹聚仁回憶文字中知道他喜刻印章，擁有珍貴的西泠印社的印泥。由此推斷他應得到弘一法師的藝術傳授。

寒假作業，竟寫下九個字交卷，並大剌剌說：「我未聽你說之前已經在家實行修身之道了。」這中學生未免大膽無禮。校長如何態度？這個學生「固休矣」，按正規不能給分數。是否不合格，資料又沒記載。但肯定沒被校長開除，因為校長經亨頤曾說過：「斥退學生是教育的自殺。」最值得注意的還是校長深受刺激之後，那「不可不反省」的心思。

葉天底就是這樣校長教出來的。

葉天底沒被趕出校，一直到「一師風潮」——這是件極簡單又複雜的政治化教育事件，政府怕了一師學生又辦報，又聲援北京五四運動，都是經亨頤當校長惹的禍，就由教育廳下令把他調職，學生發起留經請願。葉天底在遊行中給警察槍托打傷，成了流血事件主角。事後，沒等到畢業，就跑到上海去，因為老師陳望道在那裡活動。二十二歲成為「中國社會主義青年團」的始創人之一。

一九二一年，他曾到上虞一所小學當教師，把經校長傳授的教育理念帶到農村去。一九二二年春暉中學創校，他又回到校長的屬下，與豐子愷同事。不同的地方，他除了在校務處工作外，還會代豐子愷的畫課。冬天農閒時，在白馬湖辦起農民夜校來，關心農民讀書識字，寫過一篇〈白馬湖上伴農民讀書半年〉。

不久，又一次再與執政者強權教育理念不合，經校長與一群創校老師離開春暉，葉天底也離開了，從此，帶著多病之身往來上海、杭州、上虞、蘇州之間。一九二三年他正式參加了中國共產黨。

他在家鄉上虞既養病又教書，不過，他也是共產黨支部的書記，主要任務在辦農民教育並組織農民赤衛軍。一九二七年帶病去組織指揮秋收大暴動，這是黨交帶的任務，也是從小就「硬頸」個性，及一師教育使然。

暴動事敗被捕，在獄中槍決。行刑前給親人寫遺書：「大丈夫生而不力，死又何惜。先烈之血，主義之花。……我決不跪著生，情願立著死！」死時三十歲。

原來，白馬湖有豐子愷，也有葉天底。

——分上、下兩篇刊二〇一二年十月二十七及二十八日《明報》副刊「一瞥心思」專欄。

鑑古知今

有人對我說：「你的專欄，多寫過去的人與事，人物又陌生，與今天香港生活無干，很悶。」我選題材下筆前，早知道有這後果，但我堅信鑑古可以知今。

寫人人熟悉的人物，而又有新意，自然吸引，可是眾多未識的人物，不是更值得我們去追尋嗎？例如我熟知夏丏尊、豐子愷、朱自清，去白馬湖自有一番觸動，既有重溫歷史的意義，也可作心靈追跡。沒想到會幸遇經亨頤，讓我把眼界擴到另一位教育家，和他陪養出來的學生身上。我知道陶行知，就未聽過經亨頤。我知道豐子愷，就沒注意葉天底。由無知到知，這發現，很驚喜，突然如入新天地。

這兩個不那麼古的人，好像與今天的我無關，但他們的行事，卻帶給我很多反省。

現今社會，自視為開明開放，又強調民主自由。不過，仍有許多人心胸識見都未到位。治校者怎樣想經亨頤這位開明開放的校長？我們怎樣批評這位「縱容」學生的校長？他因學生犯錯而一再丟官的行事，我們同情他、尊敬他，還是罵他自作自受？至於對葉天底這類「反叛」青年，教育工作者該有甚麼態度？我讀到他遺書中「情願立著死」一句，真怦然心動。

距今九十年前，他們在身體力行了許多我們今天慣用口號標語舉出的事情來，比我們走前了許多步，我們不是應該知道他們嗎？

鑑了古，我們回過頭來看今天，品人論事，就會有個尺度準則，不至於偶見「異見」人物，就大驚小怪，或視為異端。所謂知今，就是這個意思。

——刊二〇一二年十一月十日《明報》副刊「一瞥心思」專欄。

樂園中的羅冠樵先生

五六十年代，我早已過了讀《兒童樂園》的年齡。但羅冠樵先生筆下的小圓圓、孫悟空、兒童玩意麻鷹捉雞仔、跳飛機、跳繩、十二個月兒歌，那種充滿中國文化色彩的豐盛畫作，仍常在念中。

對許多「花甲老童」或趕得及在樂園休刊前讀過《兒童樂園》的讀者來說，羅冠樵先生曾為他們建造了一段難忘的童趣記憶。這種深藏讀者心中的愉悅，編寫者的羅先生、張浚華，恐怕一直沒察覺，要等到研究者的提起，沙田文化博物館的展覽，才發現那些老讀者的不減熱情。

著名老讀者如杜杜、亦舒，寫過不少沉醉於樂園的文章。自沙田展會後，又再挑起無數人的惦念。在報上在網上，他們真是對羅先生作品一往情深。禁不住抄下一兩段。鄧達智看過展覽後寫下：「眼角竟然留下一串熱淚，我看到一個社會變遷的色彩，離別了單純農業社會的鄉愁。」一個外國歸來的人說：「小時候看《兒童樂園》，並不覺得那童書有多重要或有多大的魅力，一本一本看下來，在重複的低頭翻閱與抬頭嬉鬧之間，亦不知日子正靜靜滑走。」「一切都等待那回，相隔了近二十年的巧遇，才知道當年那印記有多重，情感有多深。」

羅先生不求名利，只悠然活在童真的樂園裡，多少年培育了一群享受童趣又得到快樂的人。如今高壽而離世，相信他仍會在另一樂園中，過著神仙生活。謹以此文送別。

（羅冠樵先生喪禮訂於十二月二日正午十二時假九龍世界殯儀館舉行公祭及辭靈。）

——刊二〇一二年十二月一日《明報》副刊「一瞥心思」專欄。

二〇一三年

兄妹團聚

兄妹三人，今年合共二百四十五歲，竟從來沒有如此團聚過。

姊姊很年輕就出嫁了，忙於相夫教子，家事纏身，記得爸媽去世後，我有煩事找她，也只能蹲在洗衣盆邊，向正在洗衣的她，斷斷續續訴苦。哥哥比我長十五歲，總是一張嚴肅冷面，我不怕父親，只怕他，在他面前，我從不敢多話。何況他一直公務繁重，家中少有閒聊機會，說來難置信，有一兩次遇上嚴重事情要談，儘管我們天天飯桌上見面，還是要靠書信往來交代。自他移民後更難一聚了。

兄妹仨，歲月如流，就如此老去。

今冬好冷，哥哥自遠方歸來，忽然帶回一股前所未有的暖意——從未有過的陌生感卻又十分自然的熟悉體驗，這樣形容，該有點奇怪，可卻是真的。我們去逛街，去飲茶。哥哥斬釘截鐵一短句：「我請。」我便不敢多哼聲。閒聊舊話中，姊姊對哥哥怯怯的說：「細個時，你蝦我，成日撚住我個鼻話，撚扁你個 nose 吖嘷！」就在此時，八十八歲的哥哥，竟帶著微笑用手輕拍八十四歲妹妹的肩膊，那微笑既有疚歉又有憐惜的溫煦，哥哥這笑容很陌生，但自然得像早已見過。他倆這件童年往事，發生在我出世之前，看在眼內，我如飲醇釀，心裡一窩熱，竟想哭。

哥哥不大喜歡拍照，在難得陽光下，我試探地問他：「不如三人拍張照片，好嗎？」他點頭。我趕快找個過路人代辦。

老榕樹下，站在中間的哥哥，伸張兩手，搭按在左右兩旁妹妹的肩上。我是第一次感到哥哥掌心的溫暖。

凝鏡，記住兄妹團聚。

——刊二〇一三年一月五日《明報》副刊「一瞥心思」專欄。

舊物歸來

二〇一三年

開始寫這篇文字時，我正含著一粒糖。久違的甜味，純椰香融繞在口舌間。為了這久違舊味，我特別專誠到人山人海的工展會去，由於它只在一攤檔獨家寄賣，找得我很辛苦，最後還是去詢問處查詢，方才尋得。

說來也是緣分，一天去逛上環，在觀音廟內，正跟廟祝閒聊，來了位女善信要簽香油。廟祝循例問香油簿上寫甚麼名字，「甄沾記」，女士語音未完，旁邊的我彷彿叮一聲觸及回憶，吓！仲係度咩？這反應極不禮貌，故事必須從小時候細說。

窮乏時代，過年是大日子，一年到頭，孩子除了盼紅封包、新衣、新鞋外，當然還有平日少吃的零食，擺到新十五才撤去的全盒，總惹來孩子金睛火眼。我倒與別不同，不大愛全盒中的蜜餞果品，獨愛母親例必擺放的甄沾記椰子軟糖、硬糖、興亞陳皮梅、史蜜夫橙花軟糖。儘管後來升格有了牛奶糖、瑞士糖，我還是鍾情椰子糖。往後我可自主買賀年糖果，更單買甄沾記產品。

也記不起從哪年開始，再買不到甄沾記椰子糖了。偶爾買到貌似東西，吃起來全不對味，於是，它就只存在記憶中了。

眾裡尋它未見，那天在觀音座前，舊主人因產品重歸故里而虔誠上香祈求順利，竟給我巧遇上，真是緣分。趕緊不顧禮儀，追問何處可買，女主人說要回來應市了。舊物歸來，卻沒打正旗號，只寄身於工展會新亞薑糖攤中，大概要試探老香港人是否忘記那甜香滋味。

我本來已不大吃糖的了，還是買了兩包回來。吃記憶！

——刊二〇一三年一月六日《明報》副刊「一瞥心思」專欄。

證

❖ 香港老品牌甄沾記跌倒重開第一年，自言有點迷信的第三代甄賢賢為了祈求在工展會一切順利，她特意去了趟文武廟（按：應為觀音廟）添香油，怎料一段窩心的相遇就這樣開始……她回憶道：「在廟裡，廟祝大喊『甄沾記』，有個白髮女人立刻調轉說：『甄沾記這名字沒聽很久了。』我對她說：『對啊，我們今年會參加工展會。』她再追問：『甚麼時候有雪糕賣？』我回了一句『隨緣吧』就離開了。」她當時都沒有將這件事放在心上，直到一天，公關公司匆匆找她，著她看報紙，發現有人把文武廟的經歷和對甄沾記的思念寫出來，甄賢賢方知道，這個白髮女人是致力於研究香港文學、文化史料的著名作家小思。……之後甄賢賢一直想找小思說聲道謝：「那天下午，我到工展會攤位幫手，一到攤位，就有人說：『甄小姐，有人找你啊，找得很急。』原來是小思找不到攤位，在場內問了很多人都找不到甄沾記，兜兜轉轉找到我，我們才認識。」

——許創業〈百年老店毀一旦　甄沾記重新創業〉，見二〇一七年九月一日《信報財經月刊》。

賸有圖書架未虛

幾十年逛書店已成生活重要部分，逛則必買書也成擺脫不了的習慣。所有書癡都如此。所有書癡必也面臨兩個困惑。一是藏書無地。香港居住環境，人藏身不易，書更不必說。有人連廚房廁所也堆書滿地。經濟能力許可，有人買個貨倉棲書。我常對藏書家的太太說：你真偉大，容忍那些書。有位太太夠幽默說：「我寧忍他滿屋藏書，遠比他金屋藏嬌好。」書災，已是老話題。另一是買書快讀書慢。恐怕無人不遇上「咁多書，你讀過晒？」的質疑。果然有些人坦承買了沒讀，但真愛書者，買書後必翻過目錄、序言、後記，或文題感興趣的，如果專題藏書者，更必讀全書。我買過一些舊書，前手讀者在書中眉批旁注，蠅頭細字寫得分明，有些更夾帶有關剪報，充分表現讀書精細心思，每逢此情，我對該書多添幾分敬意。

我也見過許多愛書人，節衣縮食，甚至典賣別的家當都為買心頭所愛書。其實這已成癖，與別人買飾物、名牌衣服成癖沒有分別。黃俊東兄曾說：「人生總要保留一點自己喜愛的惡習，買書便是其中之一。」他引用馮虛庵的遺懷絕句：「年年衣食無長物，贋有圖書架未虛，或到坊間成偶遇，墨緣修得置窮居。」作為自己寫照。

我退休後把大部分藏書捐了給中文大學圖書館，總以為今後可一改「惡習」，卻原來，癖性難戒，路經書店，吸力一扯，真是身不由己就進去了。十年過去，又是贋有圖書架未虛。

也好，趁視力還在，有書為伴。

——刊二〇一三年三月二日《明報》副刊「一瞥心思」專欄。

念少雅

到殯儀館前，先去買花圈。周報老友說黃國超喜歡花籃，想也會喜歡靈堂裡擺上花圈，於是我們決定送花圈。該寫哪個名字？德明中學同學叫他黃紹明，周報老友叫他黃國超，商業電台十八樓C座人叫他的式。平日相見，我叫他超哥，但其實我最先記住的是少雅。

《中國學生周報》許多版面都一本正經，讀者各有心頭好，「快活谷」版卻是人人都先看的。老讀者大概會記得自六十年代中葉，「快活谷」真的五花八門熱鬧起來。作者矢風、天賜、少雅、披圖氏等等，怪論連篇而自有深意。其中少雅曾任谷主，筆名很多，有過一段日子用少雅一名執筆寫近似怪論的社論，或作狀訪問紀錄，對社會現狀諷喻交加。他筆路縱橫，不只求搞笑。例如他說世界應有女總統，在〈我們的徬徨，我們的抉擇〉一文中，講笑中途，忽然正經地說：「剛毅、強悍、勇武、果敢、壯烈等等名詞我們聽得多了，而我發覺我們這個時代最需要的是美麗與溫柔。」又有一篇〈講心嘅〉，通篇引用中外古今典例，由換心、修心、交心、哀莫大於心死，講到穿心劍，豐富得很。惹得我也學著玩玩，寫了幾篇快活谷文。他七十年代在《新生晚報》「新趣」版寫專欄，一直是個專業作者，只是一貫低調。

少雅筆底古靈精怪，為人卻沉實穩重。老友聚會，他總帶酒來，笑意盈盈，也不多話。最後一次見他，他還是頻舉杯微笑，一如恆常。忽然，他就走了。他低調沉實，連走出生命最後一程，也如此。

——刊二〇一三年三月三十日《明報》副刊「一瞥心思」專欄。

❖ **證**

接力去安老院探望「排字房拼版高人」阿清伯的，是香港商台「18樓C座」四十餘年編劇少雅（黃國超）。他原是「中國學生周報」快活谷版主將，「中國學生周報」人手不足、叫救命的時候，少雅曾臨危受命兼編「快活谷」兩年左右，接替做了那個「喜歡吃忌廉凍餅的大肥婆谷主」。

——陸離〈朝行晚拆〉，見二〇一一年十月二十三日《蘋果日報》副刊「果籽」。

念念孫國棟老師

孫國棟老師逝世了，他應是在新亞書院教過我而最後去世的一位老師——一九六〇年，我剛進新亞的一年，修讀他教的中國通史。

當年，他三十八歲，最年輕的老師，清朗面容，最容易聽懂的國語，新生都歡迎他。我最深刻印象是他上課必備卡片，那時候的學生，從未見過老師拿著一疊備課用的卡片上課的。我好奇，下學期跟他熟了，大著膽子問老師那是甚麼東西。他就給我看看，原來上面寫著授課的大綱和要用的引文。聽過我公開演講的人，都見過我拿卡片演講的樣子，那就是孫老師教我的方法。這樣一晃五十多年了。

而抗日戰爭中最動人心弦、最響亮的口號：「一寸山河一寸血，十萬青年十萬軍」，也是在孫老師課上我第一次聽見的。他從未在堂上講到自己參軍抗日，反而多說講求歷史是非曲直的精神。也是他介紹我們讀《人生》雜誌，那是我入新亞後定期閱讀的刊物。從《人生》的人文關懷，到《文星》的文化思想領域的視野擴展，成為我成長過程中，重要的閱讀啓蒙紀錄。

孫老師返港長居以後，我曾去中大探望他。八十多歲，行動有些不便，但仍堅持天天讀書寫作。有一次我比約定的時間早到了，他早起寫作後再睡一回。只見在他房中書桌上，攤開的稿紙，寫滿了字。他起來後，滿面笑容拿稿紙給我看並說：「你看，我還不斷用功的呀！」

翻開老師送我的著作《生活與思想》，看到他的親筆簽署，我不記他蹣跚步履，只憶起他拿著卡片在講壇上的清朗。

——刊二〇一三年七月六日《明報》副刊「一瞥心思」專欄。

❖ **證**

二〇一三年六月二十八日《蘋果日報》要聞港聞版：〈歷史學家孫國棟逝世〉，內文報道：「著名中國歷史學家孫國棟前日早上離世，享年九十一歲。孫國棟曾在香港中文大學任職多年，校方對他的辭世感到十分難過。資料顯示，孫國棟年輕時在一九四四年參與抗日戰爭，退伍後到南京繼續學業，至一九四九年與夫人流亡香港。」

卡片因緣

提起孫國棟老師用卡片備課，影響了我也學會用卡片做演講提綱，不禁想到自一九七三年始，在京都大學學到的「京大式卡片」信息記憶系統，如何與我訂下一世因緣。

到過我書房的人，一定見過我的卡片櫃。自京都大學回港，開始從事香港文學資料蒐集工作，為了方便記錄及他日尋找，我就用上梅棹忠夫創設的「京大式卡片」系統作記事方法。別忘了七八十年代沒有今天電腦、智能手機儲存資料的神奇迅速。

處理幾百文化人來港活動資料，我必須以手抄形式完整記錄所見過的材料大綱、出處等等，人名再用漢語拼音按序排列，放在合尺寸的抽屜中備用。最初，窮得沒餘錢，只好用紙鞋盒改造。後來買些日本專儲卡片用的木盒，可是太昂貴，改在本地訂造阿加力膠盒，再改進成為整座木抽屜櫃。這些卡片，寫的格式是我自定的，全方便個人記憶。由於一邊看書刊、報紙，一邊抄下重點，或記有關人物口述重點，為了趕快，除了必要文字外，多用符號標示某些只有我自己才懂的說明。自二〇〇二年退休，把蒐集的檔案全送往中文大學圖書館特藏及掃描上網公開後，我只保留了這些卡片。說起來，卡片所載內容，遠比檔案多，因為卡片一張可能會變十張，例如，一卡片記一項文藝活動有十個文化人參加，我就要分抄十張卡片，分派在十個人名下。這樣做看來很笨，但尋找資料，卻得心應手。

卡片伴我幾十年，不是捨不得送出去，而是想不到好辦法，讓他日用的人明白我的方法。

——刊二〇一三年七月二十七日《明報》副刊「一瞥心思」專欄。

❖ **證**

小思一再以「手工作業」的方式來形容她過去苦心追尋史料的工作，大抵有感於過程的艱辛及無助。其實，早在一九八八年，小思已經提倡利用電腦科技支援文學史料的整理工作。在萬維網尚未普及的八十年代提出這個構想，無疑具有相當的前瞻性。隨著小思與中大圖書館合作的「香港文學資料庫」的誕生，為全面公開香港文學的史料踏出重要的一步。透過這個資料庫，可以找到早至一九三八年由中國著名詩人戴望舒主編的《星島日報．星座》的文章，為香港文學的研究者提供可靠的第一手資料。昔日對著如山的報紙堆輕嘆的日子已經一去不返。由今天開始，尋找香港文學的過去，已經從紙本逐步過渡到網絡了。（「香港文學資料庫」網址：http://hklitpub.lib.cuhk.edu.hk）

——馬輝洪〈從紙本到網絡——記小思與香港文學資料庫〉，見二〇〇一年九月一日《香港文學》201期。

京大式卡片

提起京大式卡片記錄方式，不能不細講一下。

一九五〇年開始，京都大學著名人類學家梅棹忠夫組成「法國百科全書」研究小組，在「人文科學研究所」展開工作。由於他早在田野調查時發現用筆記簿記錄資料，翻查不易，改用了卡片，覺得極方便，故提議全組人用卡片擴大到知性領域去。他綜合自己經驗，設計了一種尺寸、紙質都方便的無孔卡片，從此成為記錄資料的典範用品，就稱「京大式卡片」。一九六九年更出版《知性生產の技術》一書，確認了讀書研究者的一種方便記錄、尋找索引的好方法。

一九七三年我到京都大學人文科學研究所當研究員，根本甚麼研究概念、方法都沒有。但在教授專責帶領的研究小組組員辦公室，都見到他們用卡片抄東西，一櫃一櫃的藏好。書店文具部也陳列不同質地的卡片盒、大小尺寸的卡片，我實在好奇，就向師兄求教，果然發現十分方便。可惜那時我已全用筆記簿抄資料了，無法改動。回到香港，做香港文學資料蒐集，下定決心採用京大式卡片方式，只是京大式卡片太大——12.8×18.2cm，我改用香港常買得到的尺寸：7.5×12.5cm。從此奠定一生的卡片因緣。

我把豐子愷研究卡片送給豐一吟大姐，她也依此法處理繼續的工作，最近我才發現有學生原來也有此方法。用手抄資料，對現在善用電腦的後生一輩來說，似乎太笨太慢，也許是的，但經手抄過的東西，入腦深刻。不過，有了電腦，我會把入卡變成檔案，再加大量可下載資料，擴展了京大卡片範圍。

——刊二〇一三年七月二十八日《明報》副刊「一瞥心思」專欄。

川端町的回憶

講起京都，到過的人總不會忘記鴨川，描繪這貫穿京都心臟主脈的文字也不少。它一直向北流，到了出町柳就分流為二：賀茂川因有著名景點和滿堤春櫻而受人眷顧，另一高野川卻少人提及了。

我到京都，住在「母親與學生之會」主辦的「國際女子留學生中心」宿舍。這座兩層高的小洋房，在川端町——面臨三六七號國道和高野川。我就住在高野川的身旁整一年，晨昏散步，它的親和水氣悠悠，彷彿與我親切對話。

每天早上我省車費徒步四十五分鐘到北白川東小倉町京都大學人文科學研究所，黃昏時分為了要趕回去排隊做飯，會乘五路線市巴士，在修學院站下車，走過幾條橫街窄巷回到宿舍。

這是個很典型的日本小區。小民宅乾淨寧靜，宿舍後有所小郵局，它對我來說十分重要，除了一般香港人以為只是寄信收郵包功能外，我帶去的全部現金都儲蓄在裡面，每月生活支出，靠一個小本子去取錢。每回從郵局走出來，看著本子款項數目一天比一天少，那種恐慌前所未有。宿舍附近，有個小菜市場。我小心計算每天用度，在小攤前巡梭，尋找最便宜的一小筐津白，回去煮一鍋，有菜有湯，吃它兩三天。

宿舍建築比起附近民宅，是最洋化的了。門設在側面，相當窄小，進門玄關左是小小辦公室，右邊牆上設宿生名號掛牌，出入要翻動以示在室不在室。牆上還有最揪人心弦的郵件袋，遊子在外，誰不進門先抬頭看有無遠方音信？拿到信件轉身便沿梯階上樓去。

日本「母親與學生之會」於一九六七年建成了這座女子留學生宿舍，目的在讓留學生在此與日本人作更多的交流，因此，宿生既有外國人，也有京都外的日本人。六年後，我到宿舍時，日本學生多，外國人只有一個法國人、一個德國人、一個韓國人、三個台灣人和我。記憶中，韓國人與日本人勢成水火，不見交流。其他各人也是招呼兩三句，各忙各的，最「親密」接觸不過在廚房中輪班煮飯。

全宿舍由一位寮母樣管理，是位老人家，謹慎守禮，她常責備日本宿生衣著不齊整、禮儀不周。我們四個中國人倒給她很好印象。我因假期沒錢返港，必留在宿舍，冷清得有時只剩寮母樣和我。我常用甩皮甩骨的日語跟她聊天，我倆竟可交成朋友。那年剛巧石油危機，曾經戰亂的寮母樣十分恐懼饑荒。她種了野菜，煮了要我吃，我禮貌勉強吃下，很辛苦。有一天我請她吃腐乳，她吃不下，連忙說失禮失禮，以後就再不迫我吃野菜了。

一年的宿舍生活，多少學懂一些日本文化，了解一些日本人心理。也許這就是「國際女子留學生中心」設立的用心。可是，今年三月，這宿舍閉館了。館長川田洋子女士親自製作一本小冊子，報告宿舍歷史，刊出一九八三年以來在中心生活過的留學生們的話，並說「隨著時代的轉變，留學生的情況有很大變化」。讀著這本小冊子，相信小規模的女留學生宿舍已完成歷史任務了。

四十年前，我在那二樓的小狹房間裡，度過脫胎換骨的歲月，它充滿了我的回憶。

——分上、下兩篇刊二〇一三年十一月二及三日《明報》副刊「一瞥心思」專欄。

二〇一四年

寫自己最後一章——憶吳昊

「寫我好簡單離開塵世，簡單葬禮儀式，不要高朋滿座，不要歌功頌德，不想人家悲傷流淚，最好有一個人講個幽默笑話，我就好開心。」這是吳昊說如何寫自己歷史的最後一章。

我不懂講幽默笑話。但我可講兩件吳昊的事。

吳昊很早就在《中國學生周報》寫影評，可我卻不太留心讀。直到一九六八年十一月二十九日那一期，周報「譯林」版，刊登了他和方圓合譯的〈來自布拉格——一篇非「官方」報道〉，這篇譯文對我影響很大，因為那時候，中文傳媒資訊很貧乏，我對歐洲動態一無所知，突然，布拉格之春，進入了視野。我開始追尋在極權勢力侵凌下的民族故事。在鐵幕時代，有點冒險，還是決定到布拉格一行。

往後，他寫電視劇本，變成香港民間史料蒐集家、舊物收藏家、香港民俗學專家。我們交往見面機會不多，但有一次給我印象難忘。六十年代中葉，我常跟隨梁伯（魯金先生）

通街逛，聽他講香港掌故。有一天，他問我認不認識吳昊，他想見見。於是我當介紹人，他們就一見如故，談得不亦樂乎，我在旁邊插不上嘴，卻學了許多古靈精怪的故仔。他們更談剪報、收集「爛紙」、處理舊物的方法，我記得吳昊這後輩還教梁伯怎樣分類。從酒樓出來，梁伯對我說：「呢個後生仔犀利嚹。識好多嘢。唉！我屋企細，點分類呢？」從此，他們成為志同道合的香港掌故家，出了許多有趣的香港身世書。

風起了，兩位該在另一世界談天。吳昊寫好自己最後一章。

——刊二〇一四年一月十一日《明報》副刊「一瞥心思」專欄。

❖ **證**

二〇一三年十二月十七日《明報》港聞版：〈吳昊癌病逝　臨終心繫學生　掌故專家寫《上海灘》浸大名師〉，內文報道：「曾編寫《家變》、《網中人》及《上海灘》等經典電視劇本的掌故作家、浸會大學電影學院客席教授『昊 sir』吳昊，今年四月食道癌復發，昨晨離世，終年六十六歲。其大學同事指昊 sir 縱使病情嚴重仍心繫學生，臨終前兩星期仍為學生上導修課，更望來年能見證最後一班學生畢業，惟最終未能如願。」

尊師重道的深意

我一向認為作為老師，不必開口下筆講出「尊師重道」四個字，但到如今實在忍不住，必須講了。

不只人類生來需要向上輩學習許多生存經驗，連禽獸也生下來就很專心向父母或同類上輩學習群體規矩及生存經驗。我喜歡看動物紀錄片，由類似人的猿猴到兇猛獅虎，只見幼小的全都順從乖乖跟隨上輩學步，獵食技倆、逃生方法等等，就在有意無意之間，入心上手，成為他日自我求存的法寶。說人類為萬物之靈，因為人類多了文字有系統的把經驗記錄下來，除了父母親系教導外，還有外系專業人師指引，才能代傳一代，向前發展。故父母是家教，外系專業是師道，要學習得宜，必須尊師重道。

中國傳統對長輩總執極恭敬禮儀，隨著時代轉變，講究人權平等，過分的禮儀，已漸漸修正。不過，對要學習的師，「尊」仍存在遵守理由。尊師，其實在尊重自己所學習的學問與經驗，也即尊重自己。可能有人反駁說，有些師失格，不值得尊重。失格教師是有的，學生因無法選擇而非上他的課不可，但總不是用令自己也失格的粗言穢語來對待。用粗言穢語罵人的人，只是先不尊重自己，發洩了自己的情緒，卻沒解決問題。

失格的教師及失格的學生是非正常的少數，可這少數人會擾亂正常秩序，更給社會錯誤印象，如此對正常師生很不公平。近年，非正常行為愈變愈多，讓一些思想「發育不健全」的人，有樣學樣，使不正常現象擴散，壞風氣遂愈演愈烈。

何故會讓問題變得嚴重，原因很多，其中與世界通病的思維紊亂、規則失序很有關係。香港則再加上沈祖堯校長所指出的「學生成了『顧客』，學校成了『供應商』」、「學校想方設法討好顧客，以贏得聲譽和更多資助」的病歷，大學更多了一把「學生評分」的利刃。青年在強調人權自由的氛圍中，教育制度又欠完善，思想未成熟的，只知要別人尊重自己，罔顧別人，不識得原來尊重是雙方互動的，往往分不清誰是誰非情況下，一味自我膨脹，遂演成許多不尊重行徑來。我們怎可以從自己不尊重的師身上學到想學習的東西？如果只覺自己想法全對，而不懂思辨優劣來吸收知識，那種狹隘心懷也難吸收有價值的學問。如此，當學生是白當，浪費社會資源。

以上所說都是人人懂得的顯淺道理，可是，就由於種種不合理因素，不尊師重道的行為，沒有受到任何批評。甚至對學生上課吃東西、講電話、打電腦遊戲，竟有人說：現在學生好厲害，同時做幾件事，「邊吃邊上堂都無問題」，「不代表不尊師重道」。這種說話，真匪夷所思。

現在為了學生學好，要批評學生不尊師重道，要學生上課守規矩，是需要勇氣及必須具備本領的。於是沈祖堯校長〈尊師重道值得嗎？〉在網誌上一刊出，石破天驚。他語重心長，非為某些教師辯解，而是為學生指出一條學習應走道路。

他說：「就算我們教不到下一代甚麼，但起碼也要教他們怎樣尊重他人同時尊重自己吧。」

願教育工作者共勉！

——分上、下兩篇刊二〇一四年二月二十二及二十三日《明報》副刊「一瞥心思」專欄。

讀雜書

中學時期，除了中文老師介紹可讀書外，認識在新亞任教的莫可非老師也要我讀許多書。其中馮友蘭的《新理學》、《新世訓》、《新事論》，讀得我莫名其妙。莫老師後來知道這強我所難，就要我讀筆記隨筆之類雜書。一下子就中對我的興趣了。

所謂隨筆或筆記，是指當時文人對所見所聞或野史、罕見文物作了日記、札記紀錄的文體。內容拉雜成一條條資料，文筆好的可當成小品欣賞，就是不太好，也提供了正史不暇旁及的東西，有趣的能增廣見識，具史料文獻價值。舉例說一下。讓我知道清代禁戲的是由趙慎畛《榆巢雜識》筆記中有〈禁演聖賢〉條來：「優人演劇，多褻瀆聖賢，康熙初禁不得裝孔子及諸賢。至雍正五年，並禁演關帝。從宣化總兵李如柏請也。」〈時辰表〉條提及時鐘：「時辰表，來自西洋，每日上弦一次，晝夜周行，隨大小針所指，以定時刻分數，寒暑無異。」我還以為在清代才見西洋鐘，後來在京都大學人文科學研究所讀明人筆記，方知明代已有西洋以時鐘作貢品，天子以為奇珍，在朝上公開給大臣開眼界，臣子寫下所見，卻還不知有何作用。還有唐朝筆記記下何謂點心等等物名源起。

這些雜書，讀了得個知字，不成學問，可是對我後來教中學中文、歷史，卻極有幫助，因為正史四平八穩，硬材料很乾，講授時略加插些軟知識，會增加學生興趣。

也許就從中學開始這樣讀書，雜書已成為我讀正書外的「零食」，有時零食比正餐更吸引。

——刊二〇一四年四月十二日《明報》副刊「一瞥心思」專欄。

學雜學

大學時，我讀中文系，卻選了哲學系、歷史系兩系作副修，又讀了生物學概論、經濟學概論。文史哲不分家，選修了還說得過去，讀生物、經濟，真有點不問情由。

到了教中學，我讀了許多校外課程。例如左舜生老師的「中國現代史」、徐訏的「中國小說史話」、李輝英的「中國現代文學史」、唐碧川、賈訥夫、宋郁文、吳灞陵、胡殷的「實用新聞學」、廖慶齊的「天文觀星」、陳松江的「陶瓷器的基本知識」、何秉聰的「中國陶瓷藝術的發展」、許賢發「香港社會問題」等等，還有其他非課程的講座：建築、懲教處工作、禁毒戒毒工作等，幾乎每周一兩次去聽。這樣開列項目，為了顯示雜學的「雜」。

六七十年代，沒有通識的概念。中學老師各專其職，備好所教本科的課就夠了。可是我要去學，總有原因。大學修歷史，卻沒有現代史可修，左老師開科，自然要聽。修中文又沒現代文學課程，當然要聽現代作家授課了。我從小愛看報，名家親自講解，經驗示範，報業操作，還可去參觀星島報館，哪有不去之理。詩詞常以星辰作喻，懂些實體星空景象，自更感受「星垂平野闊，月湧大江流」的真切。社會影響力大，天天接觸學生，社會問題不能忽視，多知一些當時情況與政策，對理解青年人應有幫助。常去外地參觀博物館，掌握一些古代器皿知識，看起來更感興趣。可惜當年沒講青銅器的課。

這些課，沒人逼我去上，我雖聽得很用心，但只懂皮毛，故稱雜學。

——刊二〇一四年四月十三日《明報》副刊「一瞥心思」專欄。

雜學是通識

念大學時還未流行甚麼通識，說選修生物學概論及經濟學概論，有點不問情由，其實也不大正確。

金文泰中學的生物科鄺慎仿老師教得好，文科學生，都一定修讀。該科是唯一用英文本教科書的。我們用中文寫筆記、畫圖，也熟得隨時可講出食物入口後的消化過程、全身骨骼位置名稱、血液循環系統等等。進了新亞書院，知道生物系主任任國榮先生是鄺老師的老師，就「不問情由」的選讀了他開的生物學概論。

只是意外地跟他學的不是生物學，而是做人應有堅持態度，更是他鼓勵我在《中國學生周報》寫我一生的第一個專欄「一月行」。

至於經濟學概論，因為當時不懂甚麼叫經濟——戰後香港為貧苦大眾開過「經濟飯店」，修頓球場靠近盧押道一邊就有一家，香港人說「好經濟」即指「好便宜」。既然不懂，不妨讀讀。誰料完全不是那回事。鄒安眾老師用英文課本，逐頁逐句譯成中文，講解一番。

如此我學了一套陌生學科：阿當斯密夫的富國論、馬爾薩斯的人口論（人口以幾何級數增加）、供求定律、需求曲線、托辣斯（資本主義壟斷形式）、邊際效應、國民生產總值……記得我頭昏腦脹。但鄒老師強調的人口論和托辣斯卻印象鮮明。有一點最想不到的，後來因只有我修過經濟科，竟要包攬一間中學全校的「經濟及公共事務」科，就像今天的通識科，要帶學生出外參觀垃圾焚化爐、證券交易所。

我的雜學，沒有人為硬性規定要取學分，卻不經意學了許多通識。

——刊二〇一四年五月三日《明報》副刊「一瞥心思」專欄。

參

❖ 我跟學生講張愛玲《傾城之戀》。胡琴，是故事首尾都顯現的一種聲音，極有象徵效果，幫助整個作品格調呈現。可是座中讀者竟無一人聽過胡琴，即對中國樂器沒有通識，這一隔，就削弱了對情調的感受。……遇上智多識廣而又認真處理文字、講究精確度效應的作家，讀者必須隨其用筆去發展通識，認知才可挖深，方不負作家一番苦心。通識變成一科，儘管設計者如何心思細密，恐怕也難周全。

——小思〈通識不是一科〉，見二〇〇六年六月一日《明報》副刊「一瞥心思」專欄。

證

❖ 在三三四學制及新課程諮詢展開以來，其中一個主要課程改革項目，就是在高中課程中將通識教育科列為核心科目。通識科主要是讓同學面對當前世界種種錯綜複雜的議題，運用從不同的傳統學科，例如歷史、地理、生物、化學等所學會的知識概念、反省問題的取向、考慮不同的觀點視角和價值觀，然後尋求解決問題的方法，或作出判斷。

——教統局副秘書長王啟思〈通識教育　新學制核心〉，見二〇〇五年一月三日《明報》論壇版。

❖ 二〇〇五年二月十四日《明報》教育版：〈教界促理財納入通識科　六成半教師發現學生遇財困〉，內文報道：「一項訪問了逾一百五十名中學輔導或商科教師的調查顯示，逾六成老師發現學生有財困問題；七成半認為學生缺乏理財技巧，需要改善；九成認為政府對個人理財教育的支持不足。有任教商科的教師表示，教統局宜制定教材，讓教師盡早向學生教授理財知識，免學生畢業時成為『負資產』。」

情繫穹蒼

四月二十四日廖慶齊老師在美國逝世。前一周他在家的後園剛觀察了血月亮——一次月全食，呈現血紅色的月亮。不久，便冉冉飛升天國去。

廖老師對香港天文觀測及研究的推動，貢獻早入史冊。我不懂天文，卻為中國古典詩詞多涉星月，七十年代就去修廖老師開的「天文觀測方法入門」。一門完全陌生的學科，在文質彬彬的文科老師引領下，讓我情理兼修地抬頭觀星月。

老師先講鄭樵《通志．天文略》：「時素秋無月，碧天如水，長誦一句，仰俛一星，不數夜，一天星斗，盡胸中矣」作開篇。試設想如此境界，怎不吸引我這念文學的人？夾雜在陌生學理名詞中，他忽然朗誦杜甫〈贈衛八處士〉：「人生不相見，動如參與商。」帶著哲理就轉入介紹兩顆星宿在茫茫太空中的位置：參宿在獵戶座，商宿在天蠍座，在黃道相距一百八十度，不同時升落，故永無相見之期。從此，我終明白天理、人生總歸一不可逆轉軌道。

現場體驗，天階夜色涼如水，我們到過上水興仁村第一巷十四號的志廬，看老師自設當時香港最大的望遠鏡，驀然有些星宿撮到眼前，但那光竟越過幾十萬光年而來。我們在船灣淡水湖堤上，為誰風露立中宵？方信「星垂平野闊，月湧大江流」的書寫非虛。

老師傾力克服許多困難完成香港太空館，正如他說：「現在香港的星空已經消失，太空館肩負重任，把美麗的星空還給市民。」我們要感謝您。

老師，穹蒼有一顆6743的小行星，有您在，情也在。

——刊二〇一四年五月十七日《明報》副刊「一瞥心思」專欄。

參

❖ 文中所引《通志．天文略》一段，當為作者聽講時的筆錄，原文為：「時素秋無月，清天如水，長誦一句，凝目一星，不三數夜，一天星斗，盡在胸中矣。」

石門鎮上墳

遙遙三十四年前，一九八〇年夏，我到上海龍華烈士陵園，拜祭豐子愷先生。隔著玻璃櫃見到先生的骨灰木盒，還有一位甚麼烈士壓在上層。我蹲下來，貼近玻璃門，看著不及盈尺的木盒，念到一生酷愛大自然的他在那種侷促不堪的處境中，不禁悲上添悲。再想起一位童心藝術家，只求以筆墨寫天心地靈，繪畫庶民純簡生活，從未料到身後會有「烈士」待遇。作為外人不明底蘊，且時勢不明朗，不宜多言，只把悲傷隱於心內。

後來聽說豐夫人心願是希望自己他日大去能與丈夫合葬在故鄉土地上。夫人去世後，女兒為圓母親這意念，萬般設法，經過許多轉折手續，又得當地政府助力買下本屬豐先生胞妹雪雪之子蔣正東家的一塊自留地，籌建了豐子愷墓園。二〇〇六年四月二十二日，豐先生的骨灰遂能由他最鍾愛的孫兒豐羽，親手從烈士陵園捧出，重新落葬於嘉興桐鄉市河山鎮東濱頭村的南深濱。同時葬於此地的當然還有豐夫人及豐先生的三妹豐滿和胞妹雪雪夫婦共五人。

我一直惦念重歸故里的豐先生，會在一個甚麼自然環境中入土為安。好幾年還沒機會去上一次墳。今年決定請浩然兄瑜蓀兄帶我去。

從石門鎮西行三四公里，就到了本屬石門鎮今天逮屬河山鎮的東濱頭村。墓園距公路不遠，下車步過八泉橋，垂柳依依拂首，沿小徑經緣緣亭後，青松翠柏環繞的清幽地面，就見麻石砌成的石丘，水泥台階上豎著三塊石碑，正中一塊就是豐子愷先生夫人的。

浩然兄帶備清香一炷、紅燭成雙、杭菊兩盆、眾色零食，都恭恭敬敬擺好。老酒一瓶放在台階側。我拿起老酒看了又看，見他正清潔地面，就放下酒瓶，學著他拂拭碑前。誰料一向謹慎小心的我，一步退後，就把老酒打翻，頓時碎成兩截，酒全瀉在墳前。我很難過，怎會如此失禮，未奠酒致敬，竟弄破酒瓶？

浩然兄點好一炷香遞給我，我三鞠躬後敬插墳前，他則燃了一支香煙放在碑頂，說每逢祭祀，豐先生煙酒不缺。去上墳的人都鞠躬致敬，我站在旁邊聞到地上陣陣老酒香，不知何故，忽然心生一念，竟問浩然兄：「平日上墳，你如何奠酒的？」他說：「打開瓶蓋，向墓前墳後灑一灑。」正在此刻，放在碑頂的香煙已經燒完，煙蒂突然像有人用力一扔拋到地上。呵！我心頭一鬆，就說：「哦，酒只灑一些，豐先生喝得不夠暢快，他今天要整瓶喝光了。」雙手拿起半截破瓶，誠心把瀉剩在瓶底的酒奠在地上，暗暗禱告：豐先生，您享用過好酒好煙了。

我環顧豐墓四周，遍植參天松柏，想必四季蒼翠，綠意豐盈。小徑近出口處，幾株垂柳，隨風搖曳，正合豐先生愛柳之情。想起數學家蘇步青作《夜飲子愷先生家賦贈》：「草草杯盤共一歡，莫因柴米話辛酸。春風已綠庭前草，且耐餘寒放眼看。」這是豐先生最喜愛的一首詩，如今豐先生長臥家鄉，不憂柴米，墓前草綠，餘寒不擾，舒懷放眼，一切人間煩惱均已遠離。一任天然，再無干擾。我真的放心了。

——分上、下兩篇刊二〇一四年六月七及八日《明報》副刊「一瞥心思」專欄。

火燒雲

一到蕭紅故居，呼蘭人就好歉意的說：「看今天天氣，黃昏沒火燒雲了。」他們知道我遠道而來，要等看火燒雲。

小學三年級學校要我們手抄一段文字來背默：「晚飯一過，火燒雲就上來了。照得小孩子的臉是紅的。……天空的雲，從西邊一直燒到東邊，紅堂堂的，好像是天著了火。……五秒鐘之內，天空裡有一匹馬，馬頭向南，……再過兩三秒，那匹馬加大了，馬腿也伸開了，馬脖子也長了，但是一條馬尾巴卻不見了。」往後抄又說變成大狗、大獅子、猴子。在我心中，火燒雲是天空奇妙幻化，就盼真能有機會看到。等到長大了，讀《呼蘭河傳》，才知道是蕭紅作品，而北方變幻無常的火燒雲，是陪伴蕭紅度過無數寂靜黃昏的重要場景。

在整本作品中，也許，火燒雲並不重要，可能由於我小時候留下深刻印象，年長時細讀，卻把它解讀成蕭紅生命中的一種象徵。蕭紅躲在繁囂香港的某一角落，寫成有自己前半生遭遇的回顧，她筆下必然明明暗暗流露著許多反省。對火燒雲，她有下面的總結：「一轉眼，一低頭，那天空的東西就變了。若是再找，怕是看瞎了眼睛也找不到了。……一時恍恍忽忽的，滿天空裡又像這個，又像那個，其實是甚麼也不像，甚麼也沒有了。必須是低下頭去，把眼睛揉一揉，或者是沉靜一會再來看。……可是天空偏偏又不常常等待著那些愛好它的孩子。一會工夫火燒雲下去了。」

把火燒雲的虛幻與掌握不了，演成蕭紅一生對愛情的徒勞，我信。

鄉下人最懂觀天，他們說沒得看火燒雲，一定可靠，只是遙遙千里來到，我還是放心不下，友人關顧，我們去呼蘭河畔等一下吧。

車停在大壩底。我們要上壩頂，才見呼蘭河。站在河的北岸，小吳說整治水患全憑此壩，是德政，可是小時候常玩水的河沿沒有了，只剩下對面小部分，還屬天然。

有些人走落壩底河沿坐著。我也想下去，朋友不讓，說太陡。於是我們站在壩頂，朝西只見太陽紅光不耀目，冉冉向下沉。天邊底有一大塊黑厚雲層，從未想過太陽落得那麼慢。沒有火燒雲，就看如此淡然緩緩落日吧。一站站了個多小時，我們有點意興闌珊。不好意思要朋友陪我呆站，我說走吧。剛說完，太陽迅速落入黑雲中，突然，黑雲隙縫爆出一隻動物形狀——兩耳豎後，前腿奮力前伸，後腿向後撐，還閃出漫畫常用的速度強光。一隻飛奔大兔，我首先看見，高聲大叫，叫他們看。一剎那，才想起拍照，就在兩三秒內——我們只拍了兩張照片，兔子就消失了。

請讀蕭紅一段文字：「據說那團圓媳婦的鬼魂，……她變了一隻很大的白兔，隔三差五的就到橋下來哭。有人問她哭甚麼？她說她要回家。那人若說：明天，我送你回去……那白兔子一聽，拉過自己的大耳朵來，擦擦眼淚，就不見了。」

請看我拍到那天唯一的火燒雲。

——分上、下篇刊二〇一四年七月二十及二十六日《明報》副刊「一瞥心思」專欄。

——盧瑋鑾〈蕭紅《呼蘭河傳》的另一種讀法〉，見黃念欣編《翠拂行人首》，香港：中華書局（香港）有限公司，二〇一三年。

參

❖ 文題前標：「場景五」。訪蕭紅舊跡場景系列包括：〈場景一——瑪克威商廈〉，刊七月六日；〈場景二——西頭道街六號至八號〉，刊七月十二日；〈場景三——紅霞街二十五號〉，刊七月十三日；〈場景四——蕭紅故居〉，刊七月十九日；〈走過悲涼〉，刊七月二十七日；〈今天呼蘭區〉，刊八月二日；以及〈黑列巴與格瓦斯〉，刊八月三日。

❖ 她（蕭紅）就像其他呼蘭河小孩一樣，喜歡吃過晚飯就去看火燒雲。……「火燒雲」說明了一件事，他們從小到大，看到的所謂美麗的東西，都並不真實存在。

證

❖ 〈火燒雲．下〉附載作者攝的火燒雲圖。原彩色圖，請把亮光部分幻想為火紅色。

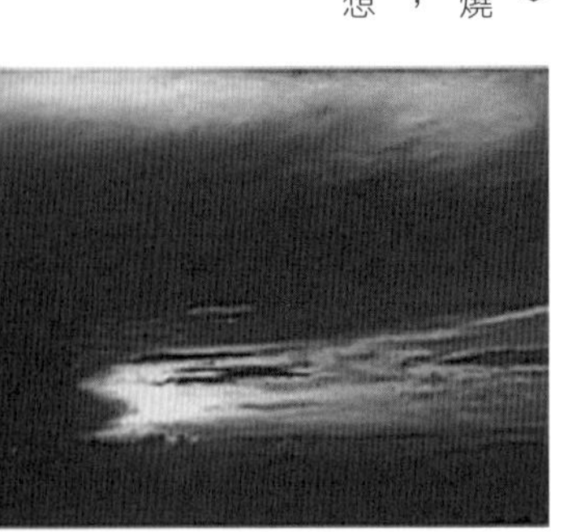

《黃金時代》的看法

有人為《黃金時代》的演員眾多，擔心有些觀眾吃不消，特別不熟現代文學的人，除了魯迅、蕭軍、端木蕻良（散場後，果然有人問我，何故有個日本人？）稍記得住外，只見陌生面孔、陌生名字，個出個入，頗感眼花。我誠心說，這套電影，編劇與導演，都有話要說，故層次豐富，解讀的方法很多，熟蕭紅身世的人有個讀法，熟那時代的人又有個讀法，從電影想到今天又有另一個讀法。甚麼都不熟，就只看蕭紅這個女子的愛情故事好了。環繞她身邊的人怎樣對待她，她怎樣對待人，觀眾憑自己人生歷練，直接觀蕭紅，遂各有品評，不必考證各人身份關係，那會暢順得多。深淺由之，正是編導的功力。

我倒沒想到編導給周鯨文一段不短的鏡頭。熟現代文學的人也未必知道周鯨文，他是東北人，一九三〇年代末，在香港設時代書店，辦《時代批評》、《時代文學》，幫助東北留港文化人士解決生活問題，蕭紅端木蕻良到香港後，是他照顧一切。他的活動能力很強，電影中就見他指揮若定。我一直奇怪，端木當年何故不畏長途，在兵荒馬亂之際，要把蕭紅一半骨灰埋於淺水灣。問過他，他說蕭紅愛海。當年交通不便，留港人士不易去淺水灣的。據周鯨文兒子周崑告訴我，原來周鯨文有座泳屋在那裡，常帶他們去玩，給他們留下深刻印象。

至於幾個跟蕭紅有關係的男人，誰是誰非？他們日後各有說法。蕭紅愛誰多少，旁人難以置喙。蕭紅寂寞，卻是事實。

——刊二〇一四年九月二十八日《明報》副刊「一瞥心思」專欄。

浴火鳳凰

我想了很久，應不應該用上這個題目。終於決定用上。

一貫在我們成人眼中，香港年輕一輩，生於單純、無知的世代，從來未見憂患。教育政策也欠恰當指引，教他們怎樣面對世道。可是，一場意想不到的危難演變，竟逼出全新面貌來。當看到舉起如林的雙手，當看到分秒危機臨近卻沉默挺前的身軀，我為自己的軟弱而慚愧，為成人世界的某些卑劣行為而悲傷，可更為他們的安危而痛心。

也許，天意要為這一代香港人設下浴火重生的洗煉。純真的人無法想像成人世界的複雜與真偽不分，如今，他們終受真切試煉。煉，是用火燒製使物質純淨、堅韌。但火燒煉，是必然經歷痛楚。浴火鳳凰的故事：「鳳凰是人世間幸福的使者，每五百年，就要背負人世所有不快和仇恨恩怨，投身於熊熊烈火中自焚，以生命終結換取人世的祥和與幸福。在肉體經受了巨大的痛苦和磨練後，才能得以更美好的軀體得以重生。」我很敬畏這壯烈故事。

還有一個《風俗通》的典故：「殺君馬者道旁兒」。意思是一匹好馬跑得很快，但路邊看客不停地鼓掌，馬兒遂不停地加速，結果不知不覺地被累死了。這教訓也很重要。

我病了三個星期，沒想到會遇上令人身心俱傷的事件。在嗅覺味覺全失的病態中，方知平常習以有之的感覺失去的難受。自由，也只有失去才知道寶貴。

病體支離，思維力也弱。我勉強執筆寫成此文，祝禱香港平安，青年人平安。

也以此文結束「一瞥心思」專欄，向讀者告別。

——刊二〇一四年十月十一日《明報》副刊「一瞥心思」專欄。

二〇一五年

重讀薩空了《香港淪陷日記》

趁著第二次世界大戰結束七十周年紀念，香港淪陷的歷史記憶，突然一次翻騰起來，出版界乘時機把新的舊的有關紀錄，一一展現。

三年零八個月的陷敵日子，香港市民如何度過？社會面貌如何？斷斷續續一直有人零碎寫下，進入上世紀九十年代，學術界開始有系統的作了口述歷史蒐集，多年來更見掌握不同國家立場的文獻資料、歷史檔案、報刊等等，出現對香港淪陷的全方位研究與論述的著作，「突破個人的回憶或口述資料的局限」（引自鄺智文〈前人研究回顧與引用史料〉，見《重光之路——日據香港與太平洋戰爭》），這讓一直忽視自身歷史的香港地，得現身世重構面貌。讓讀者從中自尋出反省與檢視來路艱難的教訓，是閱讀的好時機。

今年，三聯書店（香港）有限公司重印了薩空了的《香港淪陷日記》及關禮雄的《日佔時期的香港》，對於我來說，有特別的紀念意義。七十年代末，「香港研究」還未開風氣，很難找到香港淪陷的紀錄資料，關禮雄先生在校外課程開了「日佔時期的香港」課，讓修讀的我有了較全面的認知，內容就是一九九三年出版，今年重印還加了增訂的《日佔時期的香港》。在香港大學馮平山圖書館，我同時讀到一九四六年出版的兩本書：唐海《香港淪陷記》（一九四六年一月上海再版），薩空了《香港淪陷日記》（一九四六年四月香港初版），這兩書記載的幾乎是相同時空的香港情況，不過前書作者以普通市民身份角度及處境敘述十八天攻防戰的經過。而薩空了卻以一特殊身份——知情者及活動者，遊走港九兩岸，從事留港文化人連絡工作，故在他筆下，人人有姓名，有工作職位，一本書簡直是中國文化人在香港淪陷前後的活動連載，儘管只記短短四十九天的事，卻幫忙我解決了許多研究時遇到的小棘手問題。

我初讀《香港淪陷日記》的時候，並不知道薩空了是誰，我對當年在香港活動的中國文化人，單憑報上見到名字就抄在卡片上，沒任何延伸資料可查證，那種懵懂朦朧狀態，幾近無知。由於同時正在看一九三八年四月創刊的《立報》，才知道他擔任總編輯和總經理，編副刊「小茶館」，用「了了」作筆名，天天寫小文章。印象最深是他在〈建立新文化中心〉一文中，他希望「逃難來香港的人帶給香港的」，不「只是揮金如土一類的豪舉」，而是「和本地的同胞，大家用不著再記憶著那地域給我們劃出來的種種區別，而應為中國的將來想，在這裡共同努力樹立起來的新文化中心」。不久，他離港去了新疆，一九四一年九月再回香港，辦了中國民主政團同盟機關報《光明報》，並任總經理。

跟著就是日記中所記歷時四十九天的事了。這書從一九四一年十二月八日淪陷前夕，警報笛聲響起的緊張氣氛開始敘述，直到一九四二年一月二十五日他逃出香港為止。

初讀此書，只見他輕易用「偷渡」方式在港九兩岸走來走去。烽煙四起，他可以由上環走到跑馬地、從西營盤行去中環香港大酒店去見許多報界、文化人，甚至與英國情報部負責人聯絡。又促成英國高官擺布的梁漱溟與華人代表羅旭龢見面談戰況……。淪陷期間，日軍滿街之際，他還是通街跑，很容易找到錢去解決用錢可以解決的困難。好像極易找到給梁漱溟及自己棲身之所，又可請「爛仔」做些犯日軍禁的事。一切太神奇，與其說是紀實日記，不如說極之複雜的間諜故事。不過，當中他又如實記下動亂期間的庶民生活狀況，天天不同的物價。這些描述紀錄十分難得，因為就算當年報上所刊，也只是經過日治政府檢批才面世的「公價」，跟民間小攤自動根據民生實際需要而調價大不同，這紀錄的真實我不懷疑，因為二十年代，在上海，他已經是個名記者，物價最能反映社會生活與時艱，記者取材最敏感。

另外，對懵懂如我的「研究者」，最珍貴也最重要的是，他在書中每初次提及人名，一定先說那人服務機構及身份職位，如此就給我極可靠的認知指引，對初入行研究香港文學的人如我，真屬迷津得渡。

說迷津得渡，也不夠準確，往後幾十年來，追讀許多別人研究、不同當事人回憶錄、名人傳記、似是而非的文字檔案等等，發現歷史的津實不易渡，稍有一得，必須經過許多蘆葦隱蔽，漩渦處處。幾十年後再讀此書，恍然大悟，原來香港，是許多文化人的政治活動舞台。

薩空了是甚麼身份？據「中國領導幹部資料庫」說他是「著名新聞工作者、文學家、社會活動家」。三十年代末，他的身份是中國人民救國會的成員。一九四一年秋他再到香港，是遵周恩來之命，由廖承志及鄒韜奮安排他留港為梁漱溟創辦《光明報》（見薩空了〈回憶難忘的一九四一年、悼念羊棗同志〉），也極快成為「香港青年記者學會」的常務理事（見《華商報》一九四一年十一月四日，頁四）。他能如此靈活行事，只因他「不是共產黨」。這個身份給後來的研究者強調了，他的活動也證明果真如此。

《香港淪陷日記》既是記者親歷所記，一般讀者當成追尋淪陷初期的香港社會狀況，也能「觀察」到某些角落片段，當中自然有如〈再版前言〉中所說：「必然會有歷史的局限性」。研究者如有需要，最好把一九四六年舊版跟今版比較一下。普通讀者，可以當成香港故事看，淪陷時期庶民生活仍很吸引。記得許鞍華的《黃金時代》放映後，有青年觀眾又好奇又懷疑地問我：「香港打仗當兒，駱賓基還可以隨街行、買糖吃？」也有人看了以淪陷時期為背景寫的小說，發現竟有主角到咖啡館坐的情節，就問我：「烽火連天，有咖啡館嗎？」讀讀這日記，你會相信那都是真的。

至於想理解一下香港這個政治活動舞台，四十九天中有些甚麼文化人在做些甚麼事？

讀讀這日記，你會覺得刺激、有趣。重讀時，我才發現自己當年沒記住一九四一年十二月二十六日，即香港淪陷第二天，梁漱溟先生在看錢穆先生的《國史大綱》，今回像個新發現。愛好現代文學的人，讀著讀著，會在跑馬地街頭遇上名記者金仲華、在灣仔英京酒家門前碰到漫畫家丁聰、在香港大酒店門口看見端木蕻良、在皇后大道西巧遇作家徐遲……。他們都在香港露了面。

這樣讀，這是本「有趣」的書。

二〇一五年十月二十日

——刊薩空了《香港淪陷日記》，香港：三聯書店（香港）有限公司，二〇一五年，作者署名小思。

參

❖ 薩空了逃離香港時，小思未滿三歲。她後來讀《香港淪陷日記》，看到薩空了幾乎每天徒步往來西營盤、跑馬地各處，該有特別深刻的感受吧，因為她自小就是常在街上走動的人——是父親培養出來的「逛閑街」習慣。小思說過，「愛一座城市，從愛一條街開始」。她愛這座城市的方式，可不止於感性。早在八〇年代初她就編了一冊《香港的憂鬱：文人筆下的香港（一九二五—一九四一）》，幾年後又編著了《香港文學散步》，以人和地為綱，選錄相關的作品或文獻，並親自撰寫了簡介的文章。由此看來，愛更是認識、了解、記憶。

——樊善標〈導言：人與地，瞻前與顧後〉，見《疊印：漫步香港文學地景．一》，香港：商務印書館（香港）有限公司，二〇一六年。

《豐子愷漫畫選繹》三跋

一晃二十五年，我總以為一九九一年寫的〈再跋〉已寫盡心中話了。今回香港修訂第五版，編輯說改了封面，不如再寫一跋以記，遂應之。重讀此書，翻到最後一畫一文，忽生感觸。

自二〇一五年八月七日般咸道四株細葉榕牆樹被政府一夜間斬首後，我幾乎每周去看殘餘樹身一次。只見斷處綠葉蓬蓬，最初誤為本葉，頓覺果然「大樹被斬伐，生機並不息」。經香港大學詹志勇教授解釋：那是叫水橫枝，若生長進度良好，多年後可變成小樹，但石牆樹絕不會回復原狀。

水橫枝，雖嶺南名物，我卻一向並不留意。禁不住查一查典故。原來「橫枝」乃佛家語。指非傳衣缽嫡系。語出《景德傳燈錄 • 僧璨大師》。蘇軾詩：「叢林真百丈，法嗣有橫枝。」有注「禪宇謂之法嗣，而禪家旁出，謂之橫枝。」

再查魯迅行事：一九二七年他在廣州中山大學任教，四月十五日，國民黨派軍警到中山大學緝捕學生，魯迅出面勸校方保護學生無效，於四月二十一日正式向中大提出辭職，五月一日寫成〈《朝花夕拾》小引〉，文中忽然有小段水橫枝的描述。魯迅筆下，字裡行間自有玄機，前文後理，不容忽視。現抄錄如下：

「廣州的天氣熱得真早，夕陽從西窗射入，逼得人只能勉強穿一件單衣。書桌上的一盆『水橫枝』，是我先前沒有見過的：就是一段樹，只要浸在水中，枝葉便青蔥得可愛。看看綠葉，編編舊稿，總算也在做一點事。做著這等事，真是雖生之日，猶死之年，很可以驅除炎熱的。

前天，已將《野草》編定了；這回便輪到陸續載在《莽原》上的《舊事重提》，我還替他改了一個名稱：《朝花夕拾》。帶露折花，色香自然要好得多，但是我不能夠。便是現在心目中的離奇和蕪雜，我也還不能使他即刻幻化，轉成離奇和蕪雜的文章。或者，他日仰看流雲時，會在我的眼前一閃爍罷。」

細讀幾回，彷彿有些聯想，也算離奇和蕪雜。

大樹被斬伐，生機並不息，生出的是水橫枝，再不是細葉榕了。

水橫枝就水橫枝吧！我仍把她看成被斬大樹的一體。仍誠心默禱：生機不息。

明川　二〇一六年四月六日

——刊《豐子愷漫畫選繹》（修訂本），香港：三聯書店（香港）有限公司，二〇一六年。

❖ 證

二〇一五年八月八日《明報》港聞版：〈路署稱裂縫增　般咸道斬光四石牆樹〉，內文報道：「西區半山般咸道面向正街的百年石牆榕樹上月中於暴雨中倒塌傷及兩人，餘下四棵石牆細葉榕也難逃厄運。政府以石牆裂縫增加，四棵樹有即時危險為由，昨晚展開鋸樹工程，街坊大嘆可惜。塌樹時曾到場視察的『樹博士』港大地理系講座教授詹志勇質疑斬樹決定，指上次觀察時未見有即時危險，事隔不足一個月卻有不同評估，擔心政府只因『杯弓蛇影』而斬樹。」

一本瞻前顧後的書

《疊印：漫步香港文學地景・一》序

用迷濛病眼勉力讀完十八篇文學創作，借樊善標導言的話，那是「也兼容考史、議論；立足於當前，也和往日書寫當區的文學作品對話，展示歷史的厚度」的文學作品，感受甚深。忍不住把他們的文章，跟前人寫過香港的作品比較一下，用情視點、取材遣詞，果然很有分別。前輩以過客身份觀照香港者多，關顧香港處境者少。本集所收作品，十八位作者無論土生或外生卻著地成長的，筆下都瀰漫了「在地感」。我本不想用「在地感」這個新詞，但它含義頗能呈現對「本土」的關懷，也涵蓋以理論視角，配合情與理，考察與反省兼而有之的書寫策略。這種書寫情狀看來有點不約而同，不必排序次說他們屬哪年代的人，我讀到他們對寄身之地的另一種情懷。

當然，各作者截取歷史面貌各有不同，與前人作品對話也見層次深淺。儘管有著「好的文學作品卻有頑強的生命力」的信念（鄭政恆），或肯定「或許我們可以一起為自己成長的社區，寫一篇文章、寫一首詩、寫一部小說，一同構建該區的風景並發掘當中的意義。」

（呂永佳）。可是不少作品的筆調中，往往隱約流露「對此無計可施，愛莫能助」的悲情（蘇偉耕）。當讀到「歷史總是與我們擦身而過，一回頭它的影子沉默地掠過我們的面龐」（鄧小樺）或「悲喜與榮辱，生死與禍福。許多的生命和生命的樣式今天都已逐漸或者完全消逝，於是我決定用文字堆起一座祭壇，為你們——為我想念的，一一招魂」（唐睿），或「魂兮歸來，葉文海大抵會回到鐵路博物館上的火車，幽幽想念那些年輕的情結」（李凱琳）……反覆細讀全集，或多或少，文字總彷彿有些這土地難以形容的魂，虛虛飄蕩著。我禁不住心頭一冷。幾十年過去，儘管他們情之所繫在本土，卻竟擺脫不了侶倫那種對土地的「夢幻似的感傷的糾纏」。

我細細思考「這本瞻前顧後的書」（樊善標）。歷史的厚實，文學的擬虛，總在作者起念之處，虛實碰撞，生成種種因果。那因果正構成香港身世寫照。「是存在與不存在的過渡」（劉偉成）？如果一塊土地永遠在存在與不存在的過渡身世，那難免永遠處於感傷的糾纏了。這種活該怎麼過？

以下不是我的話，是青年一輩的話。抄下來，與活在這塊土地上的人共勉。

「我們都踩踏著別人的土地。」（袁兆昌）

「且看新一代的香港人、屯門人，如何重新定義我們的城市、我們的思路、我們的生活。」（鄭政恆）

「而是你願意寄託生命的土地，縱使環境多麼惡劣，你仍願意與之相連。」（阿修）
「不管時空怎樣更迭，語境如何挪移，安居樂業始終是人本能的追求。」（鄒文律）
「一代人就這樣重新認識自己之所處、重新認識自己。」（廖偉棠）

二〇一六年六月三日

——刊香港中文大學香港文學研究中心編著《疊印：漫步香港文學地景・一》，香港：商務印書館（香港）有限公司，二〇一六年，作者署名小思。

二〇一七年

《香港文化眾聲道》後記

這後記本來準備在《香港文化眾聲道》全部完成最後一冊出版時才寫，可是，十多年來糾纏在心的忐忑，使我無法再等，還是先寫一下，向讀者作一小交代。

想要做香港文化人訪談，在一九九〇年代中葉，早在我心中醞釀。只因八十年代做過香港的中國現代文化人訪談的經驗，使我深深感受做五、六十年代在香港活動的文化人訪談更有迫切性。可是人手資源都成問題，拖延了一段日子，我才想到申請公費。但因我一貫不懂手續，終沒成功。等到二〇〇二年我退休前，得到熱心人士的幫助（見鳴謝名單），我竟大膽展開了訪談工程。說「大膽」，其實是估計錯誤，並不知道工程浩大及所需時間與人力。

退休後，利用所得有限資源，聘得熊志琴幫忙，按最初設定的訪談者名單，開始工作，由於邊做邊研究，衍生出更多需要訪問的人。我為求「全」的毛病，不想放棄難得機會，如此就把名單不斷擴大，令工作量大增。加上我要求一切資料必須核實，熊志琴在把訪談變成文字稿的過程中，要不斷往圖書館蒐集受訪者提及的文獻資料，這工序十分費時。就這樣，拖了幾年，資源用盡，我不知如何完成工作。熊志琴在外邊找到工作，但她對我說：「老師，這事一定要做下去。我雖離開，但我會一直幫忙完成它。」就這樣，多年來，她在公務繁忙外，仍努力認真處理一切訪談資料，慢慢也成了她部分的研究專業。

做好文字稿，還得送給受訪者修訂及授權出版，這一程序更吃力，有人看了初稿，要一改再改，他們每一改，我們又再做一番核訂工夫。有人看了初稿發現自己受訪時講得不好，決定不授權。有人還來不及授權就去世了，家屬說不知如何處理，不敢授權。有些授權書要等兩三年才簽回……這種種困難情況，我從未估計過，正因意外阻滯，第一冊要等到二〇一四年才面世。

說到出版，我更對三聯書店（香港）有限公司的李安，深感抱歉，一本書擺進出版計劃中，一拖幾年出不來，真令她為難。加上我們要加插的注釋、照片、書影、截圖眾多，安放位置又要與對談版面配合，也添了執行編輯的許多麻煩。正因這樣，校對方面，負擔也沉重。

對諸位肯接受訪問的受訪者，無私提供個人資料、寶貴文獻、照片，令《香港文化眾聲道》內容充實，為香港文化發展史留下豐富一頁，我誠心感謝。對未能及見該書出版而逝的受訪者，我愧無以對，成一無法補償的憾事，對遲遲未見成書的已受訪者，拖延得似毫不合理，我萬分致歉。

一套書前後拖延了十五年，還未出齊，恐怕是出版史少見，只盼我精神體力能支持下去，在有生之年能完成使命，更求各受訪者原諒我們孤軍力弱，工作如此遲緩。

幸好近十年，口述、訪談紀錄，已蔚成風氣，只要大家在不同行業、崗位上繼續認真做，足可讓香港歷史不會有太多的遺忘。

盧瑋鑾

二〇一七年一月十六日

——刊盧瑋鑾、熊志琴編著《香港文化眾聲道2》，香港：三聯書店（香港）有限公司，二〇一七年。

❖ 證

屈指一算，老師退休迄今已近十五年了，可這些年她非但沒放慢腳步，反而是愈「跑」愈快了：繼《淪陷時期香港文學作品選——葉靈鳳、戴望舒合集》（二〇一三）、口述歷史《香港文化眾聲道．一》（二〇一四）等陸續出版，經她整理、加箋的《葉靈鳳日記》不久也將付梓面世。

——章星虹〈拾荒路上〉，見二〇一六年九月二日新加坡《聯合早報》第六頁「相遇」專欄。

翩翩蝴蝶影

借張壽卿及徐復祚的《紅梨記》，描出翩翩蝶影，哭一句十分情留得一分話柄，就憑唐滌生的靈巧聰慧，把趙汝州繪成癡情執著的男子，成一段韻事流傳。

蝴蝶，屬於中國傳統的幻化愛情意象，留得話柄最深入人心，成了永恆愛情標本的，是梁祝那對化蝶癡人。而《蝶影紅梨記》中那隻蝴蝶，卻屬唐滌生「獨創」「專有」的。憑著那隻蝴蝶，把趙汝州對謝素秋的幻化愛情，變得一往無悔。並不如徐復祚筆下的趙汝州，一見了隔園小姐，便嘆道「虛生二十二年，未見此香奩中物。向來空憶謝素秋，每以不得見面為恨，如今看了這小姐，難道還勝似他」那樣急色情薄。

中國經典中，蝴蝶意象從來蘊含對自由、美麗、愛情的嚮往。破繭振翅，終其一生，以美追尋更美的花魂，描繪永恆的癡情。唐滌生不談蝶夢、蝶化，專創一隻蝴蝶，繞過花亭，踰越隔牆，引領呆書生，到紅梨苑，讓一段虛幻愛情，演成似虛似實之證。

那蝴蝶，一身之美該是甚麼顏色？

泥印本和歷來舞台演出，都是紅色。一九五九年電影版卻是藍色。今回上演版本，全齣多依泥印本，獨獨〈窺醉、亭會〉中，蝴蝶與素秋所穿之色，均改用了藍色。

理由安在哉？

由一九五七年初演之日始，到電影拍攝過程中，依「仙鳳鳴」慣例，不斷求善求美，修訂必多。經仙姐與唐氏之意念琢磨，也是必然。這點可從當年演出後唐氏寫給電影導演李鐵的〈作者對於拍攝《蝶影紅梨記》之初步意見書〉中得到證明。電影拍攝時，唐滌生仍在，修改曲詞定是他的主意。黑白電影，觀眾所見顏色是紅是藍，毫無分別。何故〈窺醉、亭會〉中，曲詞會全改「紅裳」、「紅蝴蝶」為「藍裙」、「藍蝴蝶」？修改曲詞，深信原作人必有會意之處。今次演出前，仙姐對劇本幾經細意修改，首要是堅持採用藍蝴蝶。她的理由充分：按泥印本，舞台一片紅：「紅杏窩藏紅蝶影」、「紅梨溪畔有一位紅衣姑娘」、「遍地皆紅花，可惜我紅裙之下，不見有紅蝴蝶影」。從審美角度看，暈紅中不見層次，沒有突顯聚焦，遂失舞台視覺效果。

「仙鳳鳴」未有重演《蝶影紅梨記》機會，卻拍了電影，這一念就成全了藍蝴蝶與藍裙。何故用藍色？仙姐說記不起。我在此不妨強作解人，試循唐滌生思路解讀一番。

唐滌生讀過「上海美術專門學校」，我們看過他的西洋畫作品。在一九五五年他原著改編及導演電影《花都綺夢》中，也見識過他塑造的西洋畫家形象。我不禁試從西洋色譜裡尋索藍色的意義。

原來，藍色代表寬容，代表真愛。蘊涵溫柔與遐想。在某些畫家筆下是「沒有結果的戀愛記憶」，「一種夢境般的轉瞬即逝的顏色」。

藍色蝴蝶雖不常見，在文學浪漫派心中，是夢幻世界中愛的象徵，更往往成為改變命運的象徵及授予希望者的符號，也表示對生命中愛情永恆的終極追求。蜂媒蝶使，屬中介身份，意念頗嫌次等。唐滌生那藍蝴蝶，卻依附在從未一見的素秋藍裙下，瞬即消去無跡，藍衣蝶影遂成合體了。

翩翩蝴蝶影，引領書生過牆來，不知實情的只是那呆書生，他把一腔癡念情愫沉醉在自說自話中。唐滌生刪去徐復祚原劇中男女「西園已赴巫山夢」情節，讓「雞聲啼破窗前月」，二人便分手，就把情盡鑄於虛幻之美中。至於「忽見畫閣有紅梨現」一場俗套團圓結局，觀劇者大可不必理會，〈窺醉・亭會・詠梨〉已是最美最幻的千古情事了。

二〇一七年五月六日

——刊二〇一七年任白慈善基金演出《蝶影紅梨記》場刊，作者署名小思。

一片童心——追念劉姐姐

我的童年，有非常豐富的空中聲音伴著成長。穩重歷史的有葉慈航、陳弓。莊諧俱備的有方榮、鄧寄塵。正氣凜然的有鍾偉明、滔滔。純美童心的有劉惠瓊，我們同輩人都叫她劉姐姐。還未進小學，每天娛樂享受、知識增添，就憑靠這些由空中播放傳來的聲音了。下課回家，母親准我休息一下，聽「麗的呼聲」兒童節目溫柔甜美的劉姐姐講兒童故事。沒有童書的童年，滋潤童心的就靠劉姐姐的聲音，記住一個個適合童齡的故事。

一九五〇年，暑假前，小學二年級的我，在敦梅學校剛得了演講比賽第一名，老師叫我參加「麗的呼聲」劉姐姐辦的兒童講故事比賽。一向管得很嚴，不准我出外的母親，出乎意料竟然二話不說立刻批准了。那是我第一次外間活動，一點沒懼怕，因為可以見到劉姐姐，聽慣了劉姐姐的甜聲，卻不知道她的樣子，故很雀躍。我今天完全記不起進入「麗的呼聲」廣播室後的一切景況，忘了講甚麼故事，只記得穿旗袍、斯文淡定的劉姐姐在咪高峰前坐定發聲。

整個小學階段，空中播送的全是成人世界的話語，是在她一片童心的聲音中，我得到兒童應得的滋潤。但認真得她啟發的卻在一九六〇年她與妹妹創辦的《兒童報》。大學一年級的我，本該已過了看《兒童報》的階段，但因我在新亞夜校當義務老師，學生多是在工廠工作的童工，要給他們看課外讀物。《兒童樂園》嫌太「兒童」了點，由「一群熱愛兒童的工作者苦心焦思下孕育」（見〈創刊詞〉）出版的彩色印刷八開《兒童報》倒多了些符合社會現況的題材。「劉姐姐信箱」、「張老師和我們」，有些常識專題，都較切合稍有社會經驗的童工。我就同學生一同讀《兒童報》：玩填字遊戲、做中文、英文、數學測驗、細讀劉姐姐、張老師的說話。

我再見到劉姐姐已是《兒童報》搬到北角渣華新邨的時候了。要買兒童報叢書送給學生，就上報社去。竟有緣碰巧劉姐姐在，靦腆上前打個招呼。她依然穿旗袍，斯文淡定以甜美聲音跟我談話。知道我是大學二年級學生，她細意問我為甚麼買兒童書。「啊！原來送給童工學生。」她竟給了折扣並多送五本給我帶回去。因我也住在渣華新邨，往後，我多到報社去看望她，她總關心問起我的童工學生，並教我怎樣跟童工相處，怎樣關心他們、設法撩起他們的童心。她柔然的聲音、講話的態度，跟我小學時初見她沒有分別，大概正是她自己說的「十多年來我從沒有一刻離開過兒童。……現在我年事雖長，而我還有的仍是一片童心」有直接關係。（見一九六〇年二月二十七日《兒童報》）

轉瞬幾十年。人事匆匆，我沒有了她的消息。直到阿濃從溫哥華返港談起，才知道她移民加拿大。後來，因做香港文化人訪談項目，熊志琴去溫哥華訪問她，我才用電話跟劉姐姐再聯絡上。電話中，令我驚訝的是，聲音竟仍柔然甜美，彷彿當年麗的呼聲傳來的一樣。阿濃追述劉姐姐晚年，「在最後的日子裡，仍一片童心，追尋快樂」。深信劉姐姐的童心永在。

在沒童年的童年，在多是成年人故事廣播節目的童年，伴我度過有童心的童年，就正是劉姐姐那不朽的童心。如今她九十六高齡往生了，她說過：「忘記年齡，令自己永遠年輕，這是最好格言。」我記住！劉姐姐，我記住。

二〇一七年七月二十二日

——刊二〇一七年八月二十日《城市文藝》總90期，作者署名小思。

證

❖ 香港五、六十年代著名的電台兒童節目主持人及兒童文學家劉惠瓊，今年七月五日在加拿大逝世，享年九十六歲。劉惠瓊祖籍廣東中山，一九四六年畢業於上海復旦大學教育系，之後任職教師，一九四八年與丈夫由上海來港。一九四九年三月香港麗的呼聲啟播，她就開始擔任兒童節目的主持，開闢戲劇化故事廣播節目，並撰寫兒童生活小說在節目中播送，小朋友都稱她為劉姐姐。

——二〇一七年八月二十五日 Linda Pun 臉書，見：香港文化資料庫：https://hongkongcultures.blogspot.com/2017/08/blog-post_28.html

❖ 小思攝於麗的呼聲，最後排左一劉姐姐、左三小思、右一鍾偉明。（見《城市文藝》小思文附）

念黃愛玲

愛玲一向體弱，記得十多年前她在文化中心看完戲出來，蒼白面容，說有些暈，要吃點甚麼。我們走到尖沙咀碼頭去買西餅。她文靜帶微笑歉意地吃了。那時我就為她擔心。往後只知道她身體不大好，但仍讀到她精緻的電影研究評論，我就比較放心了。沒想到她會那麼早離去。對年長人如我來說，生死已無罣礙，但對愛玲的突然去了，仍有隱痛。

她為中國及香港電影的研究評論下了不少工夫，可視為香港電影評論一里程碑。她寫的評論是別有優雅風格，沒標誌著一般人慣具的權威，那溫厚說服力自在其中。

聽說她是在睡夢中大去，那還是她修得到的福分。她文靜地活著，文靜地離去。都是一種祝福。（二〇一八年一月四日）

*

昨晚通宵我讀完那本香港身世的書（《國民政府對香港問題的處置（一九三七—一九四九）》）。明白了一些複雜糾結，原來宿命如此，我們好好活在當下，做能做的事。就好！

（二〇一八年一月五日）

——作者發給朋友的短訊，見二〇一八年一月七日《大拇指》臉書轉引：https://www.facebook.com/145648335606529/posts

❖ 證

香港電影評論學會創會會員、前任董事、電影文化界德高望重的香港電影研究者黃愛玲，於二〇一八年一月三日遽然離世，學會表示深切哀悼，殊感痛惜。據了解，她在家於夢中離世，不少電影及文化界人士均深感婉惜。於香港出生的黃愛玲，七十年代隨夫赴法國期間進修電影，於法國社會科學高等學院師從 Christian Metz；回港後歷任香港國際電影節英文編輯、香港藝術中心電影部策劃、香港國際電影節節目策劃及香港電影資料館研究主任，其後為自由身文化工作者，兼教授電影課程。她畢生致力於電影評論及歷史研究，推動電影文化、提攜後進不遺餘力。

——〈資深影評人黃愛玲離世　懷念細膩雋永文采〉，網上讀取：https://topick.hket.com/article/1985080/資深影評人黃愛玲離世

《墨趣：呂媞書畫集》小序

翻開曾慶群送給我的《呂媞書法選輯》，最先入目的是六十、七十年代作品，掀動了我沉澱已久的許多記憶。

六十年代初，曾克耑老師對我說：「懂寫詩的人，書法也應好，你的字寫得劣，應該去從師學字。」就命令我拜入林千石老師之門。我真不成器，學了一年，功課沒交得準，不好意思去上課。林老師卻不但容忍我這懶學生，還叫我不學字也可依時去聽他授課、看他示範。就這樣，我認識了大師姐呂媞。

由於老師常拿呂媞交的書法給我們看，逐字分析，怎叫蒼勁，怎叫雄健。還說「不像閨秀字，似大丈夫字」。我不懂書法理論，但這講法很形像具體，我就記住了。同門弟子眾多，上課又認真聽講，我沒時間交上其他同學，獨認識了呂媞。怎樣開始交往，忘記了。大概她住灣仔，同路機會多。交談中，她給我的印象是寡言，可是，她對許多人與事，特別看不過眼的，總會一出話就很鋒利中的。偶然，也會訴說自己生活的困厄，但一說到書法，無論技法、理論或作品，總面泛喜色，細細道來。那種忘憂境界，完全洗盡窮活時艱對她折磨之苦。

在交談中，知道她的丈夫是著名政論家李燄生（筆名馬兒），由於左舜生老師曾提過馬兒與曹聚仁的激烈筆戰，介紹我讀馬兒《與曹聚仁論戰》一書，他的筆鋒尖銳給我印象深刻。我竟冒昧提出想見見他。有一天，她就帶我回家介紹李先生給我認識。也許不熟悉，又沒話題，李先生很沉默，我們好像沒說過甚麼。不過，呂媞回到家，卻成了個體貼的妻子，這倒有點出乎意料，因為與她字體蒼勁雄健的風格，相差太遠。

一九七三年李先生去世，我在日本，與呂媞沒通音訊，並不知情。返港後忙著從新投入工作，我們見面少了。不過，在報刊上常讀到她的文章及開書法展的消息，知道她的生活情況，比以前活躍得多，且名氣漸大，深信她已找到一條心愛大道，我就放心了。

往後日子，大家都忙。偶爾通個電話，知道她教授書法，得心應手。又到世界各地作示範展覽，推想她在書道中瀟灑自如，快慰平生。我們算君子之交，淡然過了幾十年。

十多年前聽人說起書法界中人事，才知道呂媞移居美國。曾托人打探她的消息，沒有回音。可是，緣，結上了，就訂實了。兩年前，在三藩市她的學生曾楊淑貞和姪女曾慶群，幾經輾轉找到我，我們見面後，詳細告訴我呂媞老師移民後生活情況，又給我硅谷亞洲藝術中心出版的《墨趣：呂媞書法選輯》一書，我才重獲呂媞訊息。從這兩位學生談及老師時的眼神及語氣中，我深深體會呂媞的師道感染力如何強厚。

睽違三十多年，透過學生為她輯錄的資料，知道她仍以書畫為生命養分。看到她的書法，還是當年的淋漓澎湃氣勢，卻又多了歲月磨出來的沉鬱。讀到她的詩文，如她寫道：「無論寫字作畫，只要集中精神，心無旁貸，下筆時自有更多的天趣，填補了歲月悠悠的寂寞與空虛，忘記貧窮與艱苦。……沒有名利物質的慾念；只感到胸無渣滓，快意無限而已。」就深信呂媞沒有改變初衷，卻也增添了一身在異國對故國之思。讀二〇〇八年她寫七絕四首，其中一首：「世態炎涼哭當歌，家山路遠隔天河，小樓展卷燈相伴，歲月書中自琢磨。」又從她二〇〇一年水墨紙本橫幅的款識題上的「去國情懷悲歡難已書之以遣寒夜」三句，隱隱盡見游子心存家國悲涼之情。

得悉呂媞快要舉辦書畫展了，還會出版《墨趣：呂媞書畫集》，在此借她二〇〇九年所填《浪淘沙．祝願友好安康》半闋：「珍惜苦中閒，路遠山灣。花光莫笑老癡頑。燈下臨池虔寄意，健體加餐。」以表對故人繫念之情，及致衷心祝願。

二〇一八年三月二日

——刊曾慶群、徐心如編《墨趣：呂媞書畫集》，美國加州：硅谷亞洲藝術中心，二〇一八年，作者署名小思。

我這樣解讀書名，可以嗎？

馮珍今、鮑國鴻兩位老師選取我的散文，分五個主題編成一本給中學同學閱讀的文集，還請五位年輕中文老師為各主題寫一篇讀後感。諸位老師很用心及認真，全為了方便讀此書的年輕人理解，或該說容易些進入我的世界，明白一個曾經年輕過的老人心事。

我說他們用心，除了選採人情味含意較濃的作品外，更為了透射此書的文學意態，都選了我用作文題的詩句，設定為每一輯的標題。但我卻沒想到他們會敲定了「指空敲石看飛雲」作書名。

用這句詩作題目的那文章末段，已經把句意解說得清楚，最後說「扶杖，有瀟灑感覺」，只是我個人無限聯想而已，也許別的讀者並沒有這感覺。那怎麼讓他們接受這書名呢？

手杖，今天也不一定只有老人用了，行山的人不論男女老幼都多用上。據行山專家說：「行山杖源自滑雪杖，幫助你滑雪時保持平衡。滑雪杖跟行山杖基本上是同一樣東西。」「幫助保持平衡」，拿著它，就行得穩當些。不過，也不必把它看得過於「嚴肅」，相信行山人都有過這樣的經驗：站定了，很自然就用行山杖向四周指指點點，遇到石塊崖邊，不自覺會用行山杖敲敲打打，或倚著它抬頭看飛雲飛鳥。四時風景，山水清音，或近或遠，悠然隨意入目入耳。至於受者注入心性多少，怡情與否，那就隨緣了。

老師給了你行山杖，你可指空，你可敲石，你可看飛雲，得著多少，那還是要靠你自己。

小思　二〇一九年三月八日

——馮珍今、鮑國雄編《指空敲石看飛雲》序，香港：匯智出版社，二〇一九年。

從複調交響中散步

二十八年匆匆過去。暮春三月，我一再重讀黃繼持先生為《香港文學散步》初版寫的序〈行腳與傾聽——小思《香港文學散步》引言〉，讀到最後他寫下「一九九一年春日．有霧」，彷彿自己今天也在濛濛迷霧中，執筆書成此後記。

自二〇〇九年增訂版第三次印刷本脫銷後，商務印書館毛永波先生就跟我說要再版了。我認為自二〇〇四年新訂版、二〇〇七年增訂版的一再修訂，內容還有不少值得修改的地方。多說一句：「我想再修訂。」沒想到毛先生立刻說好，便派責任編輯蔡柷音來負責。從此我與她展開五年漫長的修訂工作。她除了執行實際編輯工序外，還要用許多時間陪我與鍾易理去散步、拍照。同我作「伴步者對話」。不斷跟我討論編排問題。要她多添工夫，實在抱歉。

自從這本書出版後，引起一些研究者注意，提出疑問，令我重新查核，獲益匪淺。加上近三十年來陸續發現新資料，顯得補充訂正的重要，借句流行話說：「尚有改善空間」。

「空間」表示可增加篇幅，故今回頁數增多，添加了文字圖片。

添加的文章，多因它提供了一種新的角度，讓今天的讀者多了思考路向，添了認識當年的香港社會面貌，從而今昔對比，以便鑑古知今。我選文用意多通過「伴步者對話」展示，不過，解讀的方式，人有不同，各採所需，也因人而異。例如我讀了濟時寫的〈會晤魯迅先生後〉，覺得這個聽眾有點麻煩，問魯迅那麼多不是一時間能回答的問題。但因此惹出魯迅向他介紹北大同學近編刊的《新生》，這就令我好奇找來看看，才知道魯迅說「頗有價值」的含意。大家看了書影，不知有無所悟。探秘的〈聽魯迅君演講後之感想〉提出魯迅的話「有意在言外之妙」，果真是心思敏銳，當年香港聽者有此水準，也非簡單。讀書遇上歷史公案，一時無法判辨是非，只有多閱同時期、同事件參與者的回憶，各種文獻紀錄，或許才見真貌，甚或仍難定案。我對這種情況，只好多列資料，讓讀者自己判斷。

加添了長文，如魯迅〈無聲的中國〉，是未經魯迅修改的文字紀錄。讀者讀畢，願意的話，不妨找已經修改的來細讀，箇中分別，頗堪玩味。如果你真以為魯迅主旨只為了反對古文，那你就不懂「有意在言外之妙」了。又例如許地山〈一年來的香港教育及其展望〉，讀者除了可以從中找到自己母校名字、一九三八年香港教育大體狀況外，只要不是快閃讀過，你一定得到更多知識、樂趣、啓示……怎會有那麼多XXXX的？原來殖民地統治時代，所有刊行文字均要先送華民政務司署檢查，犯忌的字一律刪去，當年沒有言論自由，此文抽檢已算很少了。香港大學始創之初，香港總督與兩廣總督同為創辦贊助人，中港一體，早有先例。最後一段，更宜咀嚼。有多少啟示、感受，只看讀者各自修行了。

〔附錄〕增添了各修訂版的序文和後記，好像有點多餘，可是各文足以表達我多次增訂的心事，一路行來，步跡可認。而先後兩位青年編輯的對談，讓我與她們一問一答中，考思更多。

這本書修訂多次，均不離開一種想法：歷史並不遙不可及，只要我們以今天為主體，追溯以前的時間與空間，就會發現今昔的互動，甚或錯置，才驀然省悟黃繼持先生的〈引言〉中所說：「過往雖然成了歷史，卻通過人的肯認而呈現當前，且『投向』以成未來。過去現在未來，乃內化於人的心量與行為的弧線，而不再是冷漠的物理時間了」。書中眾多的歷史囑托、文藝叮嚀，讀者感動與否，有無反省，那就要看用甚麼方式，與時空交會，證實自己身處其中了。

我今回主張把〈引言〉放在全書之首，是因為繼持兄筆下完全剖析了此書的精神用心所在。事隔二十八年，他說的話，仍語語中的有力，其中不少更具先驗導向。希望讀者能憑著他所說，在複調交響中散步，以求「抵消歷史的詭譎」，跨越自設的思維界線，擴展新的視野。

小思　二〇一九年四月十五日

——《香港文學散步》第五版後記，香港：商務印書館（香港）有限公司，二〇一九年。

❖ 參

同一本書（《香港文學散步》）有五個不同的版本（包括日文版）（按：還有本年最新版），恐怕也就只有這本是這樣了。主要就是資料的問題，這幾年我找到好多好多新的資料，以前書中錯的地方我也更正過來了，求真是出版一本書應該有的態度。

——深圳商報記者魏沛娜〈小思：香港文學研究的「擎燈使者」〉，見二〇一五年十月二十五日《深圳商報》「讀書周刊」。

盧瑋鑾文編年選輯

浴火鳳凰

一九九八——二〇一九

作　　者　盧瑋鑾

編　　者　許迪鏘

責任編輯　周怡玲

書籍設計　李嘉敏

協　　力　陳先英

出　　版　三聯書店（香港）有限公司
香港北角英皇道四九九號北角工業大廈二十樓
Joint Publishing (H.K.) Co., Ltd.
20/F., North Point Industrial Building,
499 King's Road, North Point, Hong Kong

香港發行　香港聯合書刊物流有限公司
香港新界大埔汀麗路三十六號三字樓

印　　刷　美雅印刷製本有限公司
香港九龍觀塘榮業街六號四樓A室

版　　次　二〇一九年七月香港第一版第一次印刷

規　　格　三十二開（140mm × 210mm）四〇〇面

國際書號　ISBN 978-962-04-4520-0

三聯書店
http://jointpublishing.com

JPBooks.Plus
http://jpbooks.plus